TAKKU
PRESENTS

深夜の放送部

表に出せないゾッとする話

中

はじめに

Introduction

まず一言いわせてください。

「ね？　言ったでしょ？」

上巻の最後で『私は必ず中巻で皆様にまた出会うでしょう』と書かせていただきましたが、皆様のおかげで無事、中巻を発売することができました。本当にありがとうございます。

改めまして、ＹｏｕＴｕｂｅチャンネル『たっくーＴＶれいでぃお』を運営しております、たっくーです。ＹｏｕＴｕｂｅの挨拶《あいさつ》では『全国のトクメーさん』といった〝匿名《とくめい》〟と〝リスナー〟の語呂《ごろ》を掛《か》けた挨拶をしているのですが、ここに記載《きさい》しようとしたところ「初めての方に伝わらない」とＮＧを出されてしまいました。普通のダメ出しです。

しかし、それも昨年の話。

「今年こそはいつもの挨拶で大丈夫ですか？」

と聞いてみたのですが、ダメだといわれました。まだまだ知名度不足です。

さて、今回の書籍《しょせき》は『深夜の放送部 上～消去覚悟の怖い話～』の２作目となる内容になっております。

今作も『ＹｏｕＴｕｂｅチャンネルにて生配信を行い、視聴者《しちょうしゃ》から送られてきた怪談を収録する』といった他力本願《たりきほんがん》は健在《けんざい》であります。

上巻から変わった点として『心霊』『ヒトコワ』『学校の怪談』『事故物件』の4ジャンルに絞《しぼ》らず、テーマを『表に出せないゾッとする話』とし、幅広くご応募いただけるようにしました。故《ゆえ》に内容はさらにディープなものが多く、考察部分には上巻以上の手応えを感じております。

そう。『他力本願・自画自賛本《じがじさんぼん》』です。

今回も豪華《ごうか》ゲスト、そして多くの方々の協力で渾身《こんしん》の一冊となっております。

さて、本題に入ります。

ここからはYouTuberとしてではなく、怪談師としてお話しをさせていただこう。

現在、怪談界は異常《いじょう》なまでの盛《も》り上《あ》がりをみせ、季節を問《と》わずイベントなども開催されている。チケットは売り切れが相次ぎ、今日もどこかで怪談が語られている。さらに熱気を帯びた怪談界は新たな刺激《しげき》を求め始める……。

様々な怪談に触れてきた私は、こう思った。本当にヤバいのは〝表に出せない話〟なのではないだろうかと。

様々な理由で〝誰にも明かすことができなかった経験〟や〝触れてはならぬ人間の憎悪《ぞうお》〟。今夜その〝禁忌《きんき》〟を犯《おか》すことになるだろう。

知る覚悟のある方だけに存分《ぞんぶん》にこの恐怖を味わっていただきたい。

今一度〝戸締り確認〟と〝お手洗い〟を済ませることを、前回よりも強くオススメする。

今夜、貴方も秘密《ひみつ》の共有者になってしまうのだから……。

目次

2章

3章

1章

一話

あなたは人形

【ペンネーム：北里有李】

2年前のことです。

私のおばあちゃんは少し子どもっぽい人で、日本人形を大切にしており、髪型《かみがた》も日本人形にそっくりでした。そんなおばあちゃんが亡《な》くなり、私はおばあちゃんが大切にしていた日本人形を形見として受け取ることになりました。他の親戚《しんせき》はみんな不気味がって受け取ろうとせず、捨てるのも忍《しの》びなかったので、私が受け取ることにしたのです。

日本人形は私のマンションの寝室《しんしつ》に飾《かざ》りました。飾り始めて数日は不気味に思いましたが、すぐに慣れてしまいました。

そんなある日のことです。朝、私が目を覚ますと、部屋が異常に寒かったのです。8月の夏真っ盛りのはずでした。クーラーが効《き》きすぎているのかと思いましたが、クーラーの電源はオフになっています。そして、自分の服装が昨日の夜と違うことに気づきました。昨日は薄手のパジャマを着て寝《ね》たはずなのに、厚手のパジャマに変わっていました。しかも、そんなパジャマを買った記憶《きおく》もありません。

混乱《こんらん》しながらもよく見ると、部屋もところどころ違います。家具の配置が変わっていたのです。泥棒《どろぼう》が入ったのかと思い、慌《あわ》てて部屋中を確認して回りました。すると、ものがなくなっているのではなく、見覚えのないものが追加されているのです。わけがわかりませんでした。

そして、全身鏡の前ではたと止まりました。**そこに映《うつ》っていたのは、確《たし》かに私なのですが、色々とおかしかった**のです。服装が昨日と違うのは前述《ぜんじゅつ》の通りですが、髪型まで変わっていました。まるで日本人形のように、おかっぱになっていたのです。

私は『もしかして』と思ってスマホを見ました。すると、**8月だったはずなのに、11月になっていた**のです。つまり、私は3か月分の記憶がなくなっていました。

何があったのか、全くわからなくて、怖くて堪《たま》らなくなりました。

その時、ふと誰かに電話をしてみようと思い、大学の友達のA子に連絡《れんらく》しました。

「もしもし、A子？」

「もしもし？　どうしたの、こんな朝に」

A子の声は少し焦《あせ》っているように聞こえました。

「あのね、今すぐ会えない？　お願い！　すごく怖いの！」

「今すぐ？　う、うん。わかった」

こうして私とA子は大学近くのカフェで会うことにしました。私はすぐに出かける準備を整えました。タンスには見たことのない服がたくさん入っていて少し困惑《こんわく》しましたが、なんとか良さそうな服を見繕《みつくろ》って外に出ることができました。

カフェに着くとA子はもういました。

「A子！　よかった……」

「どうしたの、突然《とつぜん》」

私たちはとりあえずカフェの中に入って、注文をしました。そして私はA子に、自分が記憶を失っていることを話しました。すると、A子は今までの3か月間の私の行動を話してくれました。

「8月に日本人形をもらってきてから、様子が変だったよ。日本人形のことを馬鹿《ばか》みたいに自慢《じまん》してきて、日本人形の写真をスマホのホーム画面に設定するのはまだわかるけど、髪型まで日本人形っぽくしてきた時は、どうかしちゃったのかと思ってた。服の趣味《しゅみ》も突然変わったし、言動も子どもっぽくなって勉強が全然できなくなってさ」

A子がいうには、日本人形をもらってから私が突然おかしくなったということでした。確かに、日本人形をもらってから1週間後くらいまでの記憶しかありません。私は日本人形がなんらかのトリガーだと考え、怖くなってしまいました。日本人形を処分《しょぶん》すべきだと思うのですが、家に帰るのは怖くて仕方ありません。

「私が一緒についていってあげるから、日本人形を捨てに行こう。あんたが元に戻ってくれてよかったよ。私、もう縁《えん》を切ろうか迷《まよ》ってたんだ」

A子は茶化すようにそういってくれました。私は少しだけ安心できました。

ついに私の部屋の前に着きました。A子はとても気楽そうでしたが、私は冷や汗が出るくらいビビっていました。

「待って、怖いから、まだ開けないで」

「そんなことをいっていると、いつまでも日本人形を処分できないよ」

A子は躊躇《ちゅうちょ》なく扉《とびら》を開け、ズカズカと入り込んでいきます。私はおどおどとA子の後ろをついていきます。A子は迷いなく私の寝室に入っていきました。

「ねえ、日本人形ないけど?」

「え?」

見ると、確かにそこに日本人形はありません。

おかしいなと思い、A子と二人で家中を探し回りました。しかし、どこにも日本人形は見当たりません。探すのに疲れて一息《ひといき》ついていると、A子がこういってきました。

「盗まれたんじゃないの？」

確かにそう考えると、私が突然正気に戻ったことにも説明がつきます。

私はおばあちゃんの形見がなくなったことで少し悲しくもなりましたが、今あの不気味な人形を手元に戻すことはできないと考え、安心しました。

それから私は元の生活に戻ることができました。1か月程経ち、日本人形のことなんて忘れかけていた日のことでした。

突然、A子がおかっぱにしてきたのです。

「どうしたの？　その髪」

「いいでしょ」

A子は得意気にそういいました。

それから、A子の言動が子どもっぽくなり、大学にもだんだんとこなくなりました。私はもしかしてと思って、A子の家に遊びに行ってみることにしました。インターホンを押すと、中からA子が出てきました。

「どうぞどうぞ」と、A子は機嫌《きげん》良《よ》く出迎えてくれました。

A子の部屋に入ると、よく見える場所に日本人形が飾られていました。

「あの日本人形どうしたの？」

「あれ？　いいでしょ」

A子はそれ以上語りませんでした。

どう聞いても、詳しいことは話そうとしないのです。私はついに核心《かくしん》を突くように聞きました。

「もしかして、私の部屋から日本人形を盗んだのってA子？」


「何いってんの!!」


A子は怒鳴《どな》りました。

それからはもう口の端《はし》に泡《あわ》をためながら怒鳴るだけで、全く話になりませんでした。

私は逃げるようにA子の部屋から出て、それ以来A子とは連絡を取っていません。

たっくー深読み考察

あなたは人形

私はこの話が生配信で採用《さいよう》された時『書籍の１話目にしたいなぁ……いやラストか？　どこを挿絵《さしえ》にしようか』などと、すでに書籍にどう掲載《けいさい》するかをほくそ笑みながら考えていた。

理由はあまりに新奇性《しんきせい》のある内容に感動を覚えたからだ。１話目にして考察ではなくこのようなことを書くのもなんだが、投稿者には感謝の気持ちを伝えたい。

というのも“魂《たましい》が宿る人形”であれば聞いたことがある読者もいるだろう。しかし“所有者本人を乗っ取る人形”というのは、私は初めて聞いた。

目が覚めると翌日ではなく数か月が経過しているなんて、想像しただけで恐《おそ》ろしい。

ただ気になるのは、もともと人形に魂が宿っていたのか？　それともおばあちゃんが大切にしていたことにより、魂が宿ったのか？

というところだ。前者であれば生前のおばあちゃんはずっと人形に支配《しはい》されていたことになる。

そしてもうひとつ。なぜＡ子さんが人形を持っていたのか？　というところだ。

投稿者の相談を受けたＡ子さんが人形に興味《きょうみ》を持ち、盗んでしまったのか？　それとも投稿者が相談する前に異変《いへん》に気づいたＡ子さんが心配して、投稿者の家に行き、そこで持ち去ってしまったのか？

私は後者ではないかと考察する。

というのも『大学にこなくなった』Ａ子さんを心配し、投稿者がＡ子さんの家を訪ねると『よく見える場所に日本人形が飾られていた』と書かれている。ならば投稿者が人形を手にした時も、同じように大学を休む日が増えたのではないだろうか。それを心配したＡ子さんが投稿者の家に行った可能性は十分ある。そこで人形を手にしたのかもしれない。今となっては真相はわからないがＡ子さんは変わってしまった投稿者を助けたかったのかもしれない。

この話は２年前のことらしいが、まだ現在進行形の話かもしれない。Ａ子さんが心配だ。人形はまだあるのだろうか？

そういえば最近髪型を変えたのだが、カバーを取って裏表紙を見ていただけないですか？

二話

いなくなったフランス人形

【ペンネーム：くろのあ】

今から8年程前、私が当時二十歳だった頃、介護施設《かいごしせつ》で勤務《きんむ》していた時の体験談です。施設に入所していたAさん（80代女性）は認知症《にんちしょう》で同じ話を何度もしたり、深夜に一人で歩き回ったりといった症状《しょうじょう》のある方でした。

Aさんは一人で歩けていたり、トイレにも行けたりと介護施設の中ではわりと介助がいらない人でした。また人柄も良く、他の入所者や従業員にもすごく礼儀正しい人でした。

ただ、いつも人形を抱《かか》えて歩いていたり、人形に名前をつけて話しかけたりしていることが多く、深夜でもその様子を見かけたことがあります。Aさんが特に大切にしていた人形は、フランス人形3体で、いつも髪を撫《な》でたり顔を拭《ふ》いたり、就寝《しゅうしん》する時も1体は一緒にベッドに入れて残り2体はベッド付近の棚の上に並べるのが日課になっていました。

そんな中、ある事件が起こります。深夜にAさんが「**ハナちゃんがいないの！**」と血相を変えて、当時夜勤《やきん》だった私にいってきました。ハナちゃんとはAさんが大切にしていたフランス人形の1体です。

私が勤めていた施設は一人一人がワンルームくらいの広さの部屋で、中もさほど広くなくフランス人形くらいの大きさならすぐに見つかるだろうと思っていましたが、どこを探しても見つかりません。他の仕事も残っていたため、仕方なく探すのを断念《だんねん》し、翌日の朝のスタッフに人形がなくなったことを伝えてその日は帰宅しました。

休み明けに出勤し、先輩に「Aさんの人形、見つかりましたか？」と聞いてみましたが、みんなで手分けして部屋や食堂などを探しても見つからず、Aさんのご家族にも経緯《けいい》を説明しましたが捨てたり持って帰ったりはしていないとのことでした。

人形が見つからないまま1週間が過ぎ、他の職員もAさんも諦《あきら》めかけていたある日、Aさんが食堂で倒《たお》れて意識《いしき》をなくしてしまいました。急いで救急車を呼び、緊急搬送《きんきゅうはんそう》されましたが、病院に到着した頃にはすでに亡くなっていたと、その後、施設長から聞きました。

『特に重い病気にかかっていたわけでもないのに』と不思議に思う職員も多く、施設長に死因《しいん》を聞いたところ「変死としかいわれなかった」とのことでした。前日まではいつも通り過ごしていて、バイタルにも問題がなかったと看護師《かんごし》もいっていたので不思議で仕方ありませんでした。

数日が経ちご家族がAさんの荷物を整理し、持ち帰る時もやはりフランス人形のハナちゃんだけは見つかりませんでした。

それから3週間が過ぎ、事務所に1本の電話がかかってきました。電話の相手はAさんのご家族でした。施設長に電話を代わると、施設長の表情がみるみる曇《くも》りました。

電話が終わり、施設長に「どうしたんですか？」と尋《たず》ねると「フランス人形のハナちゃんが見つかったみたい」と小声でいいました。

「やっぱりご家族が持って帰った荷物にあったんですか？」

「いや、その時はなかったみたい」と的を射《い》ない返答しかなかったので、ベテランの先輩が「最初からしっかり話してくれ」と強くいうと、施設長は渋々話し始めました。

「葬式《そうしき》が終わりAさんを火葬《かそう》する際に思い出の品としてフランス人形を2体棺桶《かんおけ》に入れたみたい。それで火葬が終わって骨を拾う時に火葬場の人がおかしいといい始めて、家族がどうしたのか聞いたんだって。そしたら骨までちゃんと燃えていてだいたいは灰になってるんだけど、ドロドロになってはいるものの、**顔の形をした状態《じょうたい》のフランス人形3体が燃え尽きていなかった**って」

聞いた途端《とたん》、気味の悪さと謎《なぞ》の多さに、私も先輩も言葉が出ませんでした。棺桶に入れたのはハナちゃん以外のフランス人形2体。なぜ人形の頭部だけが燃え尽きなかったのか。

そして、最大の疑問《ぎもん》は、なんで棺桶に入れたのが2体で、火葬が終わってから3体になっていたのか。

私も先輩も思うまま施設長に質問しましたが、どれに対しても「わからない」とだけ小声でいわれました。それ以上は問《と》い詰《つ》めることもできず、先輩と一服をしながら話をしました。

「Aさん、フランス人形をすごく大切にしていましたから最後はハナちゃんも一緒に逝《い》きたかったんですよね」

よく考えたら少しほっこりするなーなんて思っていたのですが、先輩は……。

「健康体のAさんが、ハナちゃんがいなくなってから1週間で亡くなって、死因も変死なのは

ハナちゃんが連れていったとも考えられる」

聞いた途端、一気に鳥肌が立ち、この話はそれからしなくなりました。

私にとって一番怖かったのはこの出来事でした。

たっくー深読み考察

いなくなったフランス人形

先程も登場した"人形にまつわる話"である。

2話連続で紹介させていただいたのには理由がある。というのも、書籍掲載を決める生配信を行った時、紹介する順番は配信時にランダムで決めていたのだが、この話と1話目の『あなたは人形』は連続で紹介することになった。

3日間行った生配信で紹介した話は全71話だ。その中で人形にまつわる話が2話連続となるのは偶《ぐう》然《ぜん》だとしても何か感じるものがある。よって掲載も連続にしてみた。

さて、作中に出てきた"変死"という言葉なのだが、刑事訴訟法《けいじそしょう》において変死体とは、犯罪《はんざい》による死亡の疑いがある遺体《いたい》のことを指す。つまり明確《めいかく》な死因が特定できていないということだ。変死体は検視《けんし》の対象となり、検視の結果、事件の疑いが出てきた場合には司法解《しほうかい》剖《ぼう》が行われる。

なぜAさんは変死だったのか？

なぜ人形は見つからなかったのか？　なぜ火葬が終わったら1体増えて3体になっていたのか？

多くの疑問が残る話である。

しかし私は思う。世の中の事象はすべて仮説であるともいわれている。だからこそ変化は常《つね》に起こり、それまで正しいと思われていたことが明日には変わっていることもあるのだ。

すべての事象が仮説であるならば『人形には魂が宿る』という仮説があってもいいのではないだろうか。

教習生

【ペンネーム：鼻毛ツインテール】

私はとある自動車教習所で、教習指導員をやらせていただいております。

当校には気に入った指導員に教習を担当してもらえる『指名制度《しめいせいど》』というものがあります。

2年前の4月頃、とある女の子（Aさん）を第一段階《だんかい》（所内教習）で担当しました。ありがたいことに私の教え方を気に入ってくれたのか、翌日には指名をされていることがわかりました。とても明るく、いい子で、私自身Aさんの教習を担当することを楽しみにしていました。ただ運転中、時々思い詰めたような顔をすることは気になっていました。

その後、Aさんが第二段階（路上教習）に入ったある日のことです。その日は特に元気がなく、質問しても空返事《からへんじ》、視線はどこを見ているかわからず、虚《うつ》ろな目をしていました。異変は感じつつも、その時は特に気にもせず、嫌なことがあったんだなーくらいにしか思っていませんでした。

その教習の中盤、片側1車線の比較的《ひかくてき》トラックが多い道を走っていた時です。Aさんは前触《まえぶ》れもなく対向からきていた10トンもあろうかという**大きなトラックに向かって思い**

つきりハンドルを切ったのです。

人生で一番焦った瞬間だったと思います。咄嗟《とっさ》に私はハンドルを奪《うば》い取《と》り、なんとかトラックとの衝突《しょうとつ》を避《さ》け、車を停めました。

「なんであんなことをしたの？」

と、声を絞り出すように聞いたのを今でも覚えています。

Aさんからは泣きながら色々なことを聞かされました。親に虐待《ぎゃくたい》され、人格さえも否定《ひてい》されていること……。友達や恋人ともうまくいっていないこと……。そして、一晩だけ関係を持った人の子どもを妊娠《にんしん》してしまったこと……。だから何もかも嫌になって唯一心を許せる**大好きな先生と一緒にあの世へ行きたかった**こと……。

正直、こんなことがあるのかと今でも信じられないです。Aさんの身勝手で私も死ぬところだったのです。とにかく身の危険《きけん》を感じて、即刻《そっこく》教習を中断し、私の運転で教習所に戻りました。その間もずっと無表情で涙を流していました。そこから上司にこのことを伝え、ドライブレコーダーの映像も見せ、私がAさんの担当をすることはなくなりました。

あれ以来一度もAさんを見ていませんし、今ではどうなったかはわかりません。あの明るくていい子だったAさんは裏の顔だったのでしょうか。人って怖いなというお話でした。

そういえば私が間一髪《かんいっぱつ》ハンドルを奪い取った時、かすかに**舌打《したう》ちが聞こえたのは、忘れることとします。**

たっくー深読み考察

教習生

鼻毛ツインテールというペンネームからは想像もできない強烈《きょうれつ》な話である。事故に巻き込まれず本当に良かった。

投稿文を読む限り、この教習生が辛《つら》い思いをしたことは間違いないだろう。

しかし投稿者のいう通り、これは身勝手である。たとえどんな事《じ》情《じょう》があろうと、それが第三者を巻き込んでいい理由にはならない。

突然、残酷《ざんこく》な話をするが、私はこの世に平等など存在《そんざい》しないと考えている。

それは誰の責任《せきにん》でもない。

自分の選んだ結果であれば自己責任であるのだが、生まれた環境《かんきょう》さえも選ぶことはできないのである。これを平等と呼ぶには無理がある。

ただ、この本を読んでくれている皆さんに伝えたい。

『そんな世界に生まれ、育った人間が、世の中をここまで作り上げた』ということを。

平等のない世界で生きた先人が確かに存在するのだ。人の辛さは誰にも測《はか》れないように、貴方にしかわからない痛みや苦しみは必ずあるだろう。同じように、貴方以外の人もまた痛みや苦しみを抱えている。

だから誰かの命を奪うことは許されないのだ。

この世に生まれた限り、他人と関わらないなんてことはできない。それでも私はこういいたい。貴方だけの『人生』を歩んでいってほしい、と。

傷つけたり、傷つくことはあったとしても、誰かの命を奪うなど間違った選択をせず、自分の人生を歩んでほしい。

そう思って、貴方だけの人生を生きることが、誰かの幸せにもなるのではないだろうか。

哀しき釣果

【ペンネーム：クビネッコ】

私が小学校高学年だった時の話です。

自宅近くの川に友人四人で釣りに行きました。

流れは穏《おだ》やかでしたが、1週間程前に豪雨があったこともあり、上流から流れてきた木やゴミがところどころに散乱していました。

その日はラッキーなことにほぼ入れ食い状態。皆、テンションが上がっていましたが、友人の一人が投げた針《はり》が流木らしきものに引っ掛かってしまいました。

友人が「なんか軽いんだけど？　とりあえず引き上げて針抜くわ」と引《ひ》っ張《ぱ》ったところ、

「ん？　ん⁉　ん‼　……う、うわあああああ‼」

と友人は腰《こし》を抜かしてしまいました。直後、全員が悲鳴をあげました。

針の先にあったのは手。

人間の、手。

流木に見えたものは、手でした。

河川敷《かせんじき》には草野球ができるぐらいのグラウンドもあり、当時電話ボックスもありました。近くにいた大人の釣り人が「まだ引っ掛かってる？　あの飛び出た石の上にアレ置けるか？　よし、そのまま待ってろ」と指示してくれてすぐに通報《つうほう》しました。

警官《けいかん》がきてから「どこからきた？」とか「釣りを始めた時間は？」とか、釣り上げた時の状況を全員に事細かく聞き始めました。約3時間。ちょっと離れたところで聴取《ちょうしゅ》されましたが、同時に消防や警察《けいさつ》が何かを拾い上げては岸に運んでシートで覆《おお》う作業を何度かしていました。どうやらまだ新しいご遺体だったようです。

もともとキャッチ&リリースのつもりできていたので、入れ食い状態だった釣果は当然持ち帰りませんでした。

ただ、誰も口にはしませんでしたが**入れ食い状態だった理由って……。**

以後一度も釣りには行っていません。というか、行けなくなりました。トラウマで。

たっくー深読み考察

哀しき釣果

このトラウマ確定の実体験は偶然、死体の第一発見者になってしまった人の話なのだが、釣り人が遺体の第一発見者になることは珍《めずら》しいことではないのではないか。

考えたくもないが、遺体が海や川に遺棄《いき》されるのはたいがい人目につかない夜中であると想像でき、その海や川に最速で訪れる可能性があるのは明け方から釣りを行う釣り人であろう。よって自然と第一発見者になりやすい……というわけだ。

もっと考えると鉢合《はちあ》わせする可能性も……。

しかしそれと同時にもっと気をつけなければならないのは、自分が遺体になってしまう危険性だ。

警察庁生活安全局生活安全企画課の『令和４年における水難《すいなん》の概況《がいきょう》』によると、水難における死者・行方不明者は727人でこのうち一番多い行為《こうい》は魚とり・釣りの186人（25.6%）となっている。釣りを趣味としている読者がいれば十分に注意していただきたい。

立入禁止の危険な海流や河川には立入禁止になる理由が必ず存在している。

『立入禁止だけどよく魚が釣れる』

そんな理由でルールを破《やぶ》る行為は命を落としかねないことを念頭に置いていただきたい。

人間が自然に勝つことは絶対にできないのだから。

五話

さんどう

【ペンネーム：お卵納豆】

これは、私が小学4年生の時に体験した最初で最後の心霊体験です。

その日、父と一緒に新しくできたスーパー銭湯に行くことに。

「山道と下道、どっちから行きたい？」

と父が車に乗り込む前に唐突《とうとつ》に聞いてきました。

自宅からそのスーパー銭湯に行くには山道と下道のどちらかを選ばなければならず、下道は到着時間こそ早いですが、かなり混み合う時間帯でしたし、景色も見たいという理由から山道を選択しました。

車内の右側から綺麗《きれい》な景色が見えるので必然的にその日は後部座席に座り、父が運転席で、助手席と後部座席の左側には誰もいないという状態で車は走りだしました。

出発してから10分程経って山道に入り、またさらにしばらくすると、煌《きら》びやかな夜の街の景色が目に入りました。窓を開けて頭を窓から出しながらその景色を眺《なが》めていると、反対車線から白の軽トラが走ってきて、私たちの車の横を通り過ぎました。

その瞬間《しゅんかん》、背筋《せすじ》が凍りました。**軽トラの荷台に、白い服を着た髪の長い女が立っていたのです。**

一瞬でしたが、その女と目が合ったような気もしました。

こちらは上り坂であちらは下り坂、どう考えてもこの状況でトラックの荷台に立つなんて不可能だと思い、一瞬でその女がこの世のものではないことを悟《さと》りました。

すぐさま父に「なぁ！ 今の見た⁉」と話しかけ父のいる前のほうを向くと、**助手席にその女が座っていた**のです。女はこちらを見るわけでもなくフロントガラスから遠くをじーっと見ているようでした。

「ぎゃー‼」

父は急ブレーキを踏《ふ》み「どうした⁉」と声を掛けてきました。一瞬目を瞑《つむ》ったその時にはもうその女は消えており、事情を説明しても父は信じてくれず「事故になったらどうするつもりやったんや⁉」と怒鳴りました。

結局、スーパー銭湯には行きましたが、風呂に入っても体が温まることはありませんでした。

父はこの話を信じてはいませんでしたが、普段《ふだん》の私がそんなしょうもない嘘《うそ》をつくことはなかったので、この話に当時、恐怖を覚えたといっていました。

のちに調べてわかったのですが、山道の入口の左側を少し行ったところにお墓《はか》があったのです。

ここからは私の想像になります。女性の霊はお墓のほうに向かっていましたが、まだこの世に未練があって、お墓とは逆に向かっている自分たちの車に、開いた窓から入ってきたのではないかと思います。

皆さんも山道を走っていて窓を開ける時に、この話を思い出していただけると幸いです。

たっくー深読み考察

さんどう

恐怖の最大瞬間風速を記録する話だ。直立の女、助手席への瞬間移動。一瞬で恐怖のどん底へと突き落としてくる。

最近知ったことなのだが、霊というのは自分以外の霊を認識《にんしき》することができないという。

故に成仏《じょうぶつ》できず彷徨《さまよ》う霊は、ひとりぼっちになって何十年も彷徨い続ける。

さらに、もしこの女の霊が地縛《じばく》霊《れい》のような『場所に囚《とら》われた存在』であるなら、その場所から動くこともできなくなってしまう。

しかし唯一動く方法がある。それが“取《と》り憑《つ》く”ことだ。こればっかりは霊に聞いてみないと真相はわからないが、霊が取り憑くことができるのは自分を認識してくれる“霊感”のある人だけなのではないだろうか？　と推測《すいそく》する。

例えば何十年も彷徨い続けている中、自分を認識してくれる相手が現れたら貴方ならどうするだろうか？　私なら抱きついて離さないだろう。

そして認識できる対象者をスポットとして移動する霊は、今回の霊のように瞬間移動ができるのかもしれない。

上巻のゲストとして登場してくれたナナフシギの大赤見ノヴさんは、下半身《かはんしん》のないおっさんを某《ぼう》スクランブル交差点で目撃《もくげき》し、目が合ってしまったそうだ。

その瞬間、物凄《ものすご》い勢《いきお》いで向かってきて『確実に憑いてくる！』と思った矢先、離れたところにいた女子高校生がおっさんを見つけ絶叫《ぜっきょう》したという。

その子もまた“視《み》える”子だったのだ。その瞬間おっさんは方向転《ほうこうてん》換《かん》し、女子高校生のほうへ這《は》って行ったのだ。

ノヴさんは運良く選ばれなかったのだが、一歩間違えると取り憑かれていたのかもしれない。

彼らは私たちと目が合うその日をじっと待っている。だから天井《てんじょう》に張《は》りついたりしてアピールをしているのかもしれない。

六話

お願いされた子ども

【ペンネーム：ちとつてた】

これは私が大学生の頃、家庭教師《かていきょうし》のアルバイトをしていた時の話です。

上司から「新規《しんき》の小学生の担当をしてほしい」と連絡があり、顔合わせのためにその家を訪問することになりました。

その日は随分《ずいぶん》と暑い日だったことを覚えています。到着した先は大きな一軒家でした。

インターホンを押して名乗ると中から涼しげな白いワンピース姿《すがた》の女性が出てきて私を招《まね》き入《い》れてくれました。リビングに通されましたが、子どもの姿は見えません。

「今日は顔合わせとのことですが、○○さん（お子さんの名前）はお部屋にいますか？」

と尋ねると、女性はニコニコと話し始めます。

自分の子どもはすごく人見知りで学校に行けていないこと、そこで今回、家庭教師として私がきてくれて本当に嬉《うれ》しい、女性の先生なら安心だと。本当はお喋りな子で歌もうまく、とても良い子なのだと、そんな内容のことを早口で語り始めました。そしてひと通り話し終えたあと、

「あの子は2階の奥《おく》の部屋にいますので、先生、どうぞよろしくお願いしますね」

この時点で、女性の勢いと、始終浮かべた笑顔が、なんだか少し気味が悪かったことを覚えています。私は立ち上がり、リビングを出て階段に向かいました。

階段を上がっていくと暗さは増していき、そのせいか少し肌寒くすら感じました。

『○○のへや』と書かれたプレートが貼《は》ってあるドアを見つけ、近づくと女の子の歌声が聞こえます。とても楽しそうに『どんぐりころころ』を歌っているのです。

邪魔《じゃま》をするのも可哀想《かわいそう》だなと思いながらも、軽くノックをしましたが返事はありません。変わらず楽しそうに笑いを含《ふく》んだ歌声が聞こえ続けます。歌が止まる気配はなく、歌い終わっても何度も何度も歌い続けています。

もう一度強めに叩いてみましたが、やはり反応《はんのう》はありません。仕方なくそっと扉を開けてみると、なんとそこには、誰もいなかったのです。あるのは古びたラジカセだけ。そこからずっと女の子の声で、童謡《どうよう》が流れ続けていました。私は怖くなりながらも、

「○○ちゃん、はじめまして。今日から一緒にお勉強する先生だよ～」

と挨拶をしましたが、返事はありません。子どもが隠れられるような押し入れや、クローゼットなどはありません。本当にただ、ラジカセだけが部屋の真ん中に置いてありました。

「先生、お部屋間違えちゃったかなあ」

と呟《つぶや》き、必死に心を落ち着けようとしました。

「お母さん、2階の奥の部屋っていってたから、ここだと思ったんだけどなあ」

と口にした途端、**ぴたりと歌が止まった**のです。誰も、ラジカセに触っていないのに。

それに気づいた瞬間には恐怖で体は動かなくなり、呼吸《こきゅう》が乱《みだ》れてうまく息を吸《す》うことができません。限界でした。無我夢中《むがむちゅう》でなんとか踵《きびす》を返し、部屋から出ようとしたその瞬間、背後から、

「お母さんじゃないよ」

とラジカセと同じ女の子の声が聞こえました。恐ろしさのあまりふり返ることもできず、逃げるようにして階段を下り、リビングに駆《か》け込《こ》みました。

「あの！　お子さんですが……」

「どうでした！　可愛い子でしょう⁉　あの子ったら先生のためにお歌まで歌って、きっと先生が気に入ったのね！」

と早口でいい、口を挟《はさ》む暇《ひま》がありません。呆然《ぼうぜん》としている間に「それでは先生、また、どうぞよろしくお願いしますね」とさっきと同じように、にこりと笑い、玄関《げんかん》まで送ってくれました。

何がなんだかわからないまま外へ出て、スマホを見ると、何件も上司から連絡が入っています。何事かと思い折り返しをすると、

「今、どこにいるの？　あなたがこないと連絡が入ったのだけど」

と強い口調で問いただされます。焦りながらも「先程、お願いされた家には訪問したのですが」といいながらあの一軒家のほうをふり返ると、先程まで玄関に立って見送っていた女性はおらず、開け放たれた玄関から見える室内は薄暗く静まり返っていました。

上司に指示をされた住所に訪問した旨《むね》を伝えましたが、そもそも住所が違うと再度怒鳴られてしまいました。

後日、その体験を友人に話すと、冗談《じょうだん》だろうと笑われてしまいましたが、私の青ざめた顔を見て少しは信じてくれたようで、

「お前はその女性から誰を、何を、お願いされたんだろうな」

と静かに呟きました。その言葉で、私はまた背筋に嫌な汗が伝うのを感じました。

その後、あの家に行くことは二度とありませんでしたが、あの時の歌声が耳から離れず、今でもたまに思い出してしまうのです。

たっくー深読み考察

お願いされた子ども

職業にまつわる怪談の中で、家庭教師の恐怖体験は非《ひ》常《じょう》に多い印象である。ヒトコワも多いのだが、この話は確実に心霊の類《たぐい》であろう。

入ってしまった家には恐らく誰も住んでおらず、投稿者は何者かに呼ばれてしまったのだろう。

先程の『さんどう』でも“地縛霊は移動することができない”と話をした。その理由に『霊は生前の記憶の中でしか移動することがない』というものが挙げられる。

もちろん可能性の話ではあるが、高いところに浮かんでいる霊の目《もく》撃情報《げきじょうほう》はよくある。例えばその場所には元々３階建ての建物が存在していて、その中で亡くなった人の魂が見えている、といったものだ。すでに建物はなくなっているが、その霊からすると記憶の中の３階を移動しているだけであり“視える人”には浮いているように見えてしまうのだ。

さらにこの話の母親がもしその場所に囚われた地縛霊のような存在であれば、様々な家庭教師を繰り返し呼び続けている可能性が高い。

ただこの母親からすれば、先生に“勉強のお願い”をしているだけなのだ。

しかし忘れてはいけない。背後から聞こえた「お母さんじゃないよ」という声。

なんだこれ。めちゃくちゃ怖いじゃないか。お母さんじゃないなら誰だったのだ。

もしかすると母親は子どもを軟禁《なんきん》し教育するいわゆる“毒親”だったのかもしれない。

ラジカセは歌の練習を強要された女の子が、部屋の外にいる母親に練習していると思わせるために設置《せっち》をしたもので、最終的に自分の思い通りにならなかった母親が娘《むすめ》と心中。

女の子は最後に『あんな人、お母さんじゃない』と強い思いを残しこの世を去った。

あの場所ではその記憶が繰り返されているのかもしれない。

七話

秘密基地

【ペンネーム：タマノリパンダ】

小学5年生の頃、私たち仲良し五人は秘密基地を作ることに夢中になっていました。

小学校の裏に林があり、そこに秘密基地を作ることを計画しました。各々が、家から草刈《くさか》り用の鎌《かま》などをこっそり持ち出して林の探索《たんさく》を始めました。

五人で少しずつ進んでいき、100メートルくらい進んだ頃でしょうか。少し開《ひら》けた場所を見つけました。そこには小屋と、手作りのブランコが取りつけられた大きな木が立っていました。

その小屋の中に入ってみると、明らかに10年以上前のお菓子《かし》の箱や、雑誌《ざっし》、新聞などが置いてありました。私たちはその光景から、かつて誰かがここを秘密基地として使っていたのだろうと考え、私たちもここに秘密基地を構《かま》えることにしました。

数日経ったある日、いつものように秘密基地に向かうと、草むら越しに人の気配を感じました。草むらの中に身を潜《ひそ》めて、秘密基地を覗《のぞ》くと知らないおじさんが秘密基地を見て回っているようでした。

しばらく様子をうかがっていると、おじさんはこちらに気づき、私たちのほうに走ってきました。私は足がすくんでしまい、気づくとおじさんは目の前まできていました。

一瞬色々なことを想像してしまいましたが、そのおじさんはニコッと笑い「おー。お前ら、何やってんだー」とフレンドリーに話しかけてきました。

「あ……ぼ、僕たち、ここを秘密基地にしてて」

「おー、そうかそうか。ごめんな、勝手に入って。おっちゃんも散歩してたらここを見つけてな。おっちゃんもたまに遊びにきていいか？」

といわれたので、断《ことわ》る理由もないし少し怖かったので「いいよ」と答えました。

それからというもの、釣りを教えてもらったり、お菓子を分けてもらったりして、楽しく過ごしていました。心を開いた私たちはおじさんのことを『おっちゃん』と呼ぶようになりました。

1、2か月経ったある日のことでした。家庭訪問の期間で、学校が早く終わる時期がありました。通常より早い時間に秘密基地に行くと**小屋の中から、何やら話し声が聞こえてきました。**

おっちゃんが誰か連れてきたのかな、と思い「おっちゃーん」と声を掛けドアを開けようとすると、ガチャっと、向こうから先にドアが開き、初めて見る怒ったような焦ったような顔をしたおっちゃんが出てきました。ただ、おっちゃんはすぐにニコッと笑い、外に出て、ドアをすぐ閉め「小屋を調べていたんだよ。この小屋は危ないな。柱も腐《くさ》ってるし立入禁止区域にしようか」といい、おっちゃんは後日、その小屋に鍵《かぎ》を取りつけました。

それから、さらに1、2か月経ったある日のことでした。おっちゃんが、急に大事な話があるといい出して、私たちを集めました。この秘密基地を閉鎖《へいさ》しないかという提案《ていあん》でした。

「おっちゃんはもう明日からこられなくなる。それにここは池に柵《さく》もないし、蛇《へび》もいる。だからお前たちも、もうきちゃダメだ。そしてこれは約束だ。この秘密基地のことも、おっちゃんのことも、親や先生にいっちゃダメだからな」

それからは、おっちゃんのいうことに従《したが》って、秘密基地には行かなくなりました。

それから半年程経ち、秘密基地の存在を忘れかけていたのですが、私たちが作った秘密基地に向かう入口あたりに、複数台《ふくすうだい》のパトカーが停まっていました。その時はあまり気にしていなかったのですが翌日、私たち秘密基地メンバーの親たちが学校に呼ばれました。親同伴《どうはん》で、一人ずつ校長室で話を聞かれました。校長室には校長と担任《たんにん》、そして警官が二人いました。なぜ私たちが呼ばれたのかというと、秘密基地メンバーの一人が不要になった上履《うわば》きを秘密基地に捨てていたことから、私たち五人が秘密基地に行っていたことがバレてしまったのです。秘密基地のことを聞かれたあと「最後にこの写真を見てほしい」といわれ2枚の写真を見せられました。1枚はおっちゃんで、もう1枚は見たことのない男性が写っている写真でした。おっちゃんのことを、誰にも話さない約束をしたことを思い出しましたが、警官と親、先生のいる前で嘘はつけませんでした。

私はおっちゃんのほうを指差し「このおっちゃん、見たことあります。一緒に遊びました」と答えました。すると警官は驚《おどろ》いたような顔で「**も、もう一回聞くね、どっちのおじちゃんを知ってるの?**」と聞いてきました。もう一人のほうは全く見たことがなかったので「こっちのおっちゃんです」と再度答えました。警官二人は明らかに動揺《どうよう》していて、校長先生も「ま、まあ子どものいうことなんでね」と警官に伝えていました。

その後、警官に「そのおじさんはどうやってそこにきてたの?」「お仕事は何してるっていってた?」「名前とかわかる?」と色々なことを聞かれました。しかし考えてみると、おっちゃんの名前も、仕事も何も知りませんでした。

「わからない」と伝えると、私は解放《かいほう》されました。

他の秘密基地メンバーも同じことを聞かれ、やはり警官の反応も同じだったようです。

私たちは大人になり、大学生になった頃でしょうか。メンバーの一人と飲んでいると、秘密基地の話になりました。事件の真相が気になった私は家に帰って、あの時のことを親に尋ねてみました。すると、父親が「もう大人だからいいよね」と、当時のことを話してくれました。

私たちが秘密基地に行かなくなった半年後、池で釣りをしていた高校生たちがあの秘密基地の小屋を見つけたそうです。ドアを壊《こわ》し中に入ると、**首と胴体《どうたい》が離れた白骨化《はっこつか》した遺体**があり、その上には首吊りで使ったであろうボロボロの縄《なわ》のようなものがあったのだとか。死後半年から2年程経っていたそうです。

これは私たちが秘密基地を見つけ、おっちゃんと出会い、秘密基地に行かなくなって、その後、学校に呼ばれるまでの期間でした。

もう今となってはその遺体がおっちゃんなのか、写真のもう一人の男性なのか、そしてその人が誰なのか知る術《すべ》はありません。

警官のあの時の反応も謎のままです。

たっくー深読み考察

秘密基地

幼少期に“秘密基地作り”をしたことがある人は多いだろう。そんな楽しい思い出がトラウマ級の恐怖体験になってしまうとは。

この話の謎はふたつある。ひとつめは、遺体は誰なのかということ。ふたつめは、校長先生がいった「子どものいうことなんでね」は何を意味するのかということ。

仮《かり》に『遺体はおっちゃんであった』とし、考察をしよう。

最初に小屋を見つけた時、投稿者たちは小屋の中に入っている。その時には白骨化した遺体はなかった。それを踏まえると、小屋を立入禁止にし、その後秘密基地を閉鎖したあとで亡くなったということになる。

しかし校長の「子どものいうことなんでね」の一言から、投稿者が『おっちゃんと一緒に遊んだ』という期間にはおっちゃんはすでに亡くなっていたはずだと警官は考えていた可能性もある。なぜなら、遺体が白骨化していたからだ。

白骨化と聞くと数年かかるイメージがあるが、夏場で虫などのいる地上に放置されていた場合には、数日で白骨化することがあるようだ。つまりこういうことではないだろうか。

白骨化した遺体が発見されたあと、この遺体がおっちゃんのものであると特定はできたが、死後何日が経過しているのかを正確に特定するのが困難《こんなん》な状態だった。そして警官は上履きを見つけ投稿者の学校に聞き込みに向かった。そこで亡くなったと推定《すいてい》していた期間に投稿者たちが『一緒に遊んでいた』という証言《しょうげん》を聞いて、困惑してしまったのではないだろうか。

そうであれば警官が驚いたことにも、説明を受けていた校長の反応にも納得《なっとく》がいく。

しかしこの話では、遺体が“おっちゃんの自殺死体”とは誰もいっていない。写真に写るもう一人の男性の遺体だった場合、おっちゃんが殺人犯の可能性もあるのだ。

もしも投稿者が『小屋の中から何やら話し声が聞こえた』時に、外から声を掛けず、小屋のドアを開けてしまっていたら、投稿者は一体どうなっていたのだろうか……。

八話

ここだよ

【ペンネーム：なつな】

これは私が最近体験した話です。

友達数人での夕飯のあと、一人が「夜景を見に行きたい」というので皆で行くことに。そこは少し山道を車で登っただけで、ただの車道からでも綺麗な夜景を見ることができる場所でした。

皆で「綺麗だねー」などとたわいもない会話をしていた時のことです。

友達の一人が全く知らない人の名前を出し「**あの子、元気にしてるかなぁ**」といいました。

「え？　誰？　そんな子いたっけ？」

頑張《がんば》って思い出そうとしましたが、誰一人として思い出せませんでした。しかし彼女は、

「**いや、いたじゃん！　途中《とちゅう》で精神《せいしん》的にまいっちゃって入院しちゃった子！　なんで覚えてないの？**」

と若干《じゃっかん》怒りながら必死にいいました。どう頑張っても思い出せない私たち。その時でした。

「**なんで！　私はいたでしょ！**」

いつもの彼女からは想像もできないような声で、顔で、叫《さけ》んだのです。

「そこに！　そこに入れられたんだよ！
なんで忘れてるんだよ！」

叫びながら彼女が指差したのは大きな廃墟《はいきょ》でした。暗くて廃墟があることにすら気づかなかった私たちは一気に青ざめ、正気を失っている彼女を車に押し込みすぐに帰りました。

下っている途中でも「思い出してよ！」と正気を失ったままの彼女。私たちは恐怖で言葉も出なくなり、全員ただただ黙っていました。

しかし、しばらくすると、突然いつもの彼女に戻ったのです。先程までのことは覚えていないようで、ケロッとしていました。

気味が悪くなった私は、家に帰りその場所について調べてみました。するとそこは10年前に閉まった病院だったのです。

あれは一体なんだったのでしょうか？

今もあの時の彼女の鬼気迫《ききせま》る表情と絶叫が忘れられず、ふと思い出すたびに、背筋が凍るような感覚に襲《おそ》われます……。

たっくー深読み考察

ここだよ

シンプルな短編《たんぺん》だがゾッとする話である。

結局、何が起こっていたのかわからない話でも怖いと感じるのは、シチュエーションを想像しやすく共感性が高いというところにあるだろう。

旧友《きゅうゆう》と集まり、ドライブをしたことがある人は多いのではないだろうか。私も同じような経験をしたことがある。

当時、高校を卒業したばかりの私は、男女四人でドライブへと出掛けた。二度とあの青春は戻ってこないだろう。

そこで一人が『近くに心霊スポットがある』といい出し向かうことに。

到着した途端、さっきまで楽しそうに喋っていた女の子が、車から飛び出し嘔吐《おうと》したのだ。

恐怖よりも心配が勝《まさ》った私たちは車に連れ戻そうとしたのだが、彼女は体に触れたもう一人の女の子に叫びながら強烈な肘打《ひじう》ちを入れたのだ。

只事《ただごと》ではないと感じ、タックルで体を押さえようとするも私は背中に容赦《ようしゃ》ない殴打《おうだ》を食らった。

「帰りたくない！」と絶叫しながら暴《あば》れ回るその力は、とてもその子からは想像のつかない力だったことを覚えている。積んであった毛布でグルグル巻きにして、後部座席になんとか詰め込み、その場を後にした。

投稿者の体験も私の体験も、何者かに憑依《ひょうい》されたと推測できるのだが、霊の力そのものが強ければ強いほどその支配力も強くなるのではないだろうか。

精神を弱らせ、その後精神をコントロールする。さらに強力になると肉体までコントロールできる可能性がある。しかしその力の及ぶ範囲《はんい》は限られているのであろう。

あの世へ連れていこうと呼び込む霊以外にも、支配を目的とする霊も存在するのかもしれない。

心霊スポットには不用意に近づくべきではないだろう。

九話

職員室の電話

【ペンネーム：マッキースカイ】

私が教師になって初めて赴任《ふにん》した高校での2年目の話です。

職員室には、毎日のように電話がかかってきます。それは保護者《ほごしゃ》や業者からのものが大半ですが、一部的外れというか、支離滅裂《しりめつれつ》な内容の電話もありました。

例えば「○○党《とう》の△△議員、お前のところの卒業生だろ？　アイツが当選しないよう、おたくも一言いってくれないか」「あなたの高校、獣医《じゅうい》になった卒業生いるでしょ？　ウチの××ちゃんが大変なの！　すぐ紹介して！」といったものです。当然、我々《われわれ》はそういった連絡をまともに相手にせず「はいはい」と適当《てきとう》にあしらい「またかかってきたよ」「この前はこういうのだった」と、笑い話や酒の肴《さかな》にしていました。これを横から見ていた私は当時『自分のところにもこないかな～』なんて軽い考えを持っていました。

それは夏休みのある日に起きました。プルルルと私の近くの電話が鳴りました。ちょうど私以外の先生は全員部屋から出ていたので私が受話器を取りました。「もしもし？」というと、向こうから「そちらに、○○ちゃんいるよね」とノイズ混じりですが返答がありました。音声は不《ふ》明瞭《めいりょう》ですが、声は年齢がかなり高めの女性がゆっくりと話している、そんな印象でした。

「もしもし、すみません。ちょっと音声が途切れてしまったので、もう一度お願いできますか？」

「そちらに○○ちゃんいるよね」

私が受け持っているクラスには馴染《なじ》みのない名前でした。

「すみません、保護者の方ですか？　あと生徒の名前でしたらフルネームで教えていただけないでしょうか？」

「そちらに○○ちゃんいるよね」

と全く同じ内容を同じトーンで相手は何度も話してくるのです。私は埒《らち》が明かないと思い、また「保護者の方ですか？」と強めに伝えようとした時、

「私、その子のことが気に入ったの」

「はい？」

「私、その子のことが気に入ったの。私、その子のことが気に入ったの」

私は、嫌な寒気を感じ『早くこの電話を切りたい』と思いました。

「すみません。私、新任でして、その○○さんという生徒は存じ上げないのですが、今から他の

者をお呼びしましょうか？　どの学年の生徒でしょうか？」

「わかりました。**では直接《ちょくせつ》もらいに行きますね**」

向こうが返答し、すぐ電話が切れました。いや、もしかしたら相手が切るよりも早く、私が受話器を置いたような気もします。

通話後、私はしばらくモヤモヤとした感情でいっぱいでした。このままでは業務《ぎょうむ》に支障《ししょう》をきたすと思い、意識を切り替えるために給湯室でコーヒーを準備していた時です。年配の先生が職員室に駆け込んできました。急いで電話をかけて、発した第一声が、

「もしもし警察ですか⁉　生徒が飛び降りたんです」

驚いた私は急いで現場に向かうと、泣《な》き喚《わめ》いている生徒と近づかないように大声を出している先生たちの人だかりが見えました。私もその人だかりに駆《か》け寄《よ》ると、そこで見えたのは手足があらぬ方向に曲がった女子生徒の姿でした。上履きの色から2年生だとわかりましたが、全く面識《めんしき》のない生徒でした。

数日後、緊急の職員会議がありました。そこで聞いたあの生徒の下の名前は、あの日、電話越しに聞いた『○○ちゃん』と同じ名前でした。

「事件性の有無、いじめが原因なのかについてはこれから調査します。何か心当たりがある先生は報告してください」

と教頭からいわれましたが、私はあの日の電話のことを伝えられませんでした。事件の日から、泣いている彼女のクラスメイトや担任、そして保護者を見ていたので私はどうしてもいい出すことができなかったのです。なぜなら電話の音声が不明瞭で、本当に彼女の名前であったかどうかも曖昧《あいまい》だったこと、電話がかかってきた時間と少女が飛び降りた時間があまりにも近すぎたこと、あの不気味な女が犯人なのではという私の憶測を話すことは遺族を茶化すだけだと思ったからです。

ですが何よりも**『これを話したら、あの女が私のところにくるのではないか？』**という恐怖心が一番の理由でした。

結局、その後事件性もなく、いじめも確認できず、進路の悩みと成績が自殺の原因だと片づけられました。私はあの日の出来事を誰にも話せていません。今は遠く離れた別の学校で働いていますが、いまだに職員室の電話に出ることができません。

あの日の女の声が聞こえてくるのではないかと不安になるからです。

たっくー深読み考察

職員室の電話

学校の怪談といえば生徒が体験した話が多いと思われがちだが、私個人は教師側の体験を聞くことのほうが圧倒的に多い。教師をしている方に話を聞くと必ず一度は奇妙《きみょう》な体験をしているのだ。

そういった類の話の中でも、この話は後味が悪く非常に恐ろしい。投稿文にあるようなわけのわからない電話も相当恐ろしいが、よく考えてみるとこの投稿者にかかってきた電話の目的は一切不明なのだ。仮に実在する何者かの電話であったとしても、事件性はないといわれている以上、事件に関わっているとは考えづらい。

では、この世の者ではない何かが女子生徒を連れていったとすると『なぜわざわざ電話をしてきたのか？』という疑問が残る。

この電話からわかることはふたつ。

ひとつめは、電話の主はその生徒を気に入っていたこと。

そしてふたつめは、投稿者の貴方に対し電話をしてきたということ。

電話がきた時、職員室には投稿者しかいなかった。つまり貴方をターゲットにし“なんらかの目的があって電話した”と考えるほうが納得がいく。

どうも私には“偶然、貴方が電話に出てしまった”と考えることができない。投稿者も薄々そう感じているのではないだろうか？

電話は偶然ではなく、自分を狙《ねら》ってかけてきたということを。

そして聞きたい。本当にその声の主を貴方は知らなかったのか？ 貴方を狙った電話であれば何か心当たりがあるのでは？　なんて妄《もう》想《そう》が膨《ふく》らむ話だが、いい忘れたことがある。

私に体験談を話してくれた教師たちは皆、口を揃《そろ》えてこういう。

『他の先生には話せていない』

非科学的な話をすることで他の教師にどう思われてしまうか？ そんなことを皆が考えているのではないだろうか。

もし心当たりがないなら、ターゲットはランダムに決められていて、今回はただ貴方の順番が回ってきただけなのかもしれない。

十話　ゲスト怪

　とある地方都市にお住まいの若い男性に聞かせていただいた話だ。両親と一緒に一軒家に住んでいて、小さな頃から生まれ育った町なので昔からの友達も何人もいたりする。

　この日の昼、気になっていた本を買いに自転車に乗って近所の商店街の書店へ向かった。お目当てを見つけると手に取りレジへ。会計を済ませると書店を出た。

『……あれ？』小さな商店街とはいえ、いつもならある程度《ていど》の人数が歩いているのだが、それが全く誰もいない。どの店にも誰も人がいないのだ。真昼間なので珍しく感じた。

　自転車にまたがり自宅に向けて進み出しながら気づいた。感覚的なものなのでなんとなくだが、町全体の色味が少ない気がしたのだ。

「なんか変だな……薄い？　そんなわけないか」

　それだけではなかった。自転車を漕《こ》ぎ進める最中、全く人とすれ違わないのだ。こんなこと今までなかったし、なんだか気持ち悪く感じてきた。

　そして気づいた。音がない。人の話し声も、遠くで虫が鳴くような音や車の音も何もないのだ。

なんだか変な違和感を抱えつつ、小さな交差点に差しかかろうとした時、その交差点に左からブンブンブンブン……とエンジン音が近づいてきた。

『あ、車がきた』

シンとした中、際立つその音が近づいてきて、交差点の曲がり角のところから音と共に大きな黒いモヤの塊が姿を現した。その大きな黒いモヤの塊は、モヤの一番前の部分が大きな口になっていて、それをガバッと開けて前進している。自分の目の前を左から右に進んでいくのだ。

一体何が起きているのか。意味がわからなすぎて怖かった。その交差点を前にして足を止め、さすがに自転車を降りた。ふり返って町の全体を見ながら『やっぱり色が薄いわ！　町全体の色が薄い！』一気に気持ち悪くなってきた。今起きていることの意味がわからない。

すると、周りの建物やお店から人が出てきた。

一人見つけたと思ったら何人もの人が出てきていたのだ。ただ、その人たちみんな、黒いモヤでできた人だった。あまりの怖さや気持ち悪さにそこに立ちすくんでいると、一人、また一人と自分の横を通り過ぎて交差点に入っていき、あの大きなモヤの大きな口に「バクッ」「バクッ」と食べられていく。それが何人も何人も続いていくという光景だった。

得体のしれないものに恐怖を感じていると、また一人自分の横を通り過ぎようとした黒い人型のモヤがあった。

咄嗟に『お前は行っちゃダメだ』自分でもなぜだかわからないのだがそう感じ、その黒いモヤの首根っこを後ろからつかんだ。すると、軽々とこちらに引き戻せたのだ。それと同時にその人型のモヤはすーっと消えた。

目の前では他の黒いモヤの人たちが食べられていく光景が続いている。だけどこのモヤを引き戻せてよかったぁと思っていると、スッと突然意識が遠くなった気がして、次に気がつくと、書店を出ようとしているところだった。

『……あれ?』道を挟んだ向こうの店では、いつものようにおっちゃんが接客している。お客さんもいる。どの店も店員たちがいる。通りを人が歩いている。『……俺、何をしてたんだ……』するとポケットの中の携帯が鳴った。久しく連絡を取っていなかった地元の友達からだった。電話に出ると「おー! 久しぶりー!」というので、

「お、おお。久しぶりだな。どうしたの急に?」

「いやさあ、商店街のそばの小さな交差点あるだろう。今さあ、俺がよくないんだけどイヤホンして音楽を全開にして自転車を漕いでたもんだから車がきてるのにも気づかずに、交差点に止まらずに直進しちゃって。気づいたときには視界の端っこに車がもうすぐそこまできてるのがわか

って、もうその瞬間に覚悟したというか『あー、俺もうダメだ』と思った時、誰かが首根っこを後ろからぐっとつかんで引き戻してくれたんだよ。で『ありがとうございます』っていいながらふり返ったら、誰もいなかったんだよ」

「いや、最近全然連絡取ってなかったのに、すごい久しぶりに電話してきたと思ったら、なんでその話を俺にしようと思ったんだよ」

「ああ、俺、なんでお前にかけたんだろうなぁ」と、友達は不思議そうにしていた。

わからないが、もしかしたらあの時、色の薄い世界の小さな交差点で首根っこをつかんだ黒い人型のモヤこそ、この友達だったのではないだろうか。

だとしたら、それ以外の飛び込んでいって食べられてしまった人型のモヤは、**一体何を意味しているのか……。**

PROFILE
ぁみ
怪談家。怪談最恐位『怪凰《かいおう》』。

日本最大級の怪談エンタメLIVE『渋谷怪談夜会』を渋谷O-EASTにて毎年主宰。

ライブハウス4ステージ同時開催の前代未聞の怪談夏フェス『HORROR TELLER FESTIVAL』主催。

2017年に初の全国ツアーを全公演SOLDOUTさせ以後毎年開催中。

メディアやイベントや大型野外フェス等へも出演。

作家、脚本、演出、原作提供、等々。

司会進行・MCとしての活動も多い。

YouTube『怪談ぁみ語』『霊話』、ニコ生『渋谷怪談夜会ch』なども人気。

人気書籍『レイワ怪談』シリーズをはじめ書籍の執筆や原作提供を行う。


たっくーTVれいでぃお主催『T-1グランプリ2023』では初代グランプリを獲得！

数年前、知人女性と食事に行った時のことだ。

「インドの占《うらな》い〝アガスティアの葉〟って知ってますか?」と、突然尋ねられた。

僕は「知らない」と答えた。彼女いわく、インドのアガスティアという人が数千年前に全人類の運命を葉っぱに書いたのだという。全人類、つまり現在に生きる僕についても書かれていて、インドに行けば自分の運命を読むことができるらしい。

彼女がアガスティアの葉を知ったのは、アガスティアの転生者と名乗る人に出会ったのがきっかけだという。アガスティアは様々な国の人に転生していて、今は日本人に生まれ変わっているそうだ。最初は酔《よ》っ払《ぱら》いかと思いあしらっていたら「昨日○○食べてましたよね」「今日は○時にお子さんを学校に送って、明日○○に行く予定じゃないですか」と次々に当てられたという。

興味を持った彼女は、自分のアガスティアの葉を読むためにインドに渡った。すると、生まれた病院、結婚《けっこん》・出産の年齢、子どもの名前など、こと細かく書いてあり、すべてが当たっていた。

「それって自分が『いつ死ぬか』もわかるんですか?」と尋ねると、彼女は答えた。

「はい。私、来月の最初の金曜日に死ぬらしいです」

そして翌月、**彼女は本当にその日に亡くなったのだ。**

僕は不思議に思った。死ぬ日がわかっているなら、きっと回避《かいひ》しようとしたはずだ。だが、それでもできなかったのだ。

日本人に生まれ変わったアガスティアは、彼女に「すべての人間のアガスティアの葉をネットでも公開しようと思っている」といっていたらしい。すると各国のトップや政治家などの運命も見ることができるわけで、未来の世界情勢もわかるのではないだろうか……。よそう。わかったとしても、運命を変えられるわけではないことを、彼女が証明している。

何よりも僕は、自分が『いつ死ぬか』を知りたくはない。

全人類の運命がわかる世界。あなたはどう思いますか？

PROFILE
シークエンスはやとも
“霊が視えすぎる”芸人としてバラエティ番組などで多くの芸能人を霊視《れいし》鑑定《かんてい》し、話題を呼んでいる。
チャンネル登録者数約28万人（2023年7月現在）のYouTubeチャンネル『シークエンスはやともチャンネル～1人で見えるもん。～』では毎日心霊に関する動画を投稿している。
たっくーTVれいでぃお主催『T-1グランプリ2023』ファイナリスト。

僕のYouTubeチャンネルにとある依頼《いらい》があったことが発端《ほったん》だ。

依頼というのは様々な霊障に悩まされている人から『霊能者を呼んで除霊してもらうので、それを撮影してほしい』という内容だった。僕はカメラマンと二人で現場に向かった。5階建てマンションの最上階に住む人が依頼者だった。

訪ねてみると、ごく普通のファミリータイプの部屋だった。

依頼者はある出版社に勤めている人で、その上司と霊能者もすでにきていた。除霊の準備が進められていて、簡易的な祭壇《さいだん》や、紙で作られた卒塔婆《そとば》のようなものがあった。

僕がどんな霊障があったのかと尋ねると、依頼者は話し始めた。

もともと霊感が強いほうではなかったのに、そのマンションに住んでからおかしなことが続くようになったのだという。

「最初に気づいたのはお風呂に入っていた時です。一人暮らしなんですけど、お風呂で女性の声が聞こえてきたんです。ここは壁《かべ》が厚くて隣《となり》の声が聞こえるわけでもなく。しかもそれが最上階にもかかわらず上から聞こえる感じで……」

不思議なことはその後も続いた。

「夜中1時か2時だったか、寝ているとお経が聞こえるんですよ。音のもとを探しても見つからなくて、どこにいっても同じボリュームで聞こえてくるんです。洗面台に行って鏡を見た時、その理由がようやくわかりました。鏡に映っている自分の口がパクパク動いて、呪文のようなものを唱えていました。もう怖くて眠れなかったです」

最近になって霊障は一層《いっそう》ひどくなってきて、たまらず彼は除霊をお願いしたのだった。

やがて除霊の儀式《ぎしき》が始まった。しかしその途中で依頼者の上司がふいに立ち上がり、思い詰めた顔で隣の部屋に行った。心配になって後を追うと、何かを呟いている声が聞こえた。

「お祓《はら》いしても解決しないと思うけど」

まだ途中なのに、そんなことをいっているのだ。

気になったので帰り際、その上司に尋ねると、

「実は、海外から帰ってきたある知人がいて……ある時、その人が入院することになって、引っ越しをしないといけなくなり『荷物がいっぱいあるから預かってくれないか』と頼《たの》まれたんです。それを断れずに、預かった段ボールをこの家の寝室の押し入れ……その上のさらに奥のほうに入

れてもらってるんです。それに魅《み》せられて幽霊が寄ってきたりしているんじゃないかな」

「どうしてそう思うんですか?」

「その人、海外である事件を起こしてしまったんです。悲惨な事件であり、被害者の恨みの念のようなものが霊障を起こしているのでは……」

事件の詳細《しょうさい》は伏《ふ》せるが、僕も聞いたことがある事件であった。

そのため、荷物がある以上はいくらお祓いをしても解決しないのではないか、と思ったという。

結局、お祓いをしても霊障がなくなることはなかった。

その後、この依頼者は引っ越し、荷物を別の場所に預けてからは何も起こらなくなったという。

部屋そのものが原因でなくても〝モノ〟が霊障をもたらすこともある。

PROFILE
ハニートラップ梅木
芸人、俳優《はいゆう》、怪談師、投資家としてマルチに活動中。
たっくーTVれいでぃお主催『T-1グランプリ2023』ファイナリストのほか、数多くの怪談コンテストに出場している。
自身のYouTubeチャンネル『ハニトラ梅木の水曜日の怪談』では、怪談や心霊スポット調査の動画を投稿中。

2章

親友がいた

【ペンネーム：八十六％】

私には親友がいる。

学生の頃は毎日遊んで楽しかった。LINEやインスタグラムでも繋《つな》がって互《たが》いの日常を見て楽しんでいた。社会人になってもその関係は続いていた。

ある日、親友から「最近ストーリー見てくれないじゃん」といわれた。ちょうどその時、インスタグラムにログインすることができなくなったことを親友に伝えたところ「じゃあ新しいアカウントを作ろう！」ということになり、新しいアカウントでインスタグラムを再開した。

それからしばらく経って、ずっとつき合っていた男性と結婚することになり、式には誰を呼ぶかを考えていた。連絡先がわからない人が出てきた時に『以前のインスタグラムのアカウントなら』と思いパスワードを模索《もさく》。なんとか、ログインできた。

すると、数人からメッセージが届《とど》いていた。その中の一番新しいのは親友だった。

『なぜこっちに⁉』

そう思いメッセージを開いた。すると、画面には『早く死ね』の文字がびっしり、ほぼ毎日送られていた。スクロールし、上のほうを見ると『なんであんたなん』『私のほうがすべて上じゃん。死ねば?』と書かれていた。結婚した人を紹介してくれたのは、親友なのに……? 結婚報告の時はあんなに喜んでくれていたのに。

怖くなった。

既《き》読《どく》がつくと、見たことがバレてしまうと思い、連絡先は消した。彼に相談し、式は中止、慌てて引っ越した。

それから、元親友には会っていない。

私には親友がいた。

私のただひとつの『ヒトコワ』です。

たっくー深読み考察

親友がいた

ヒトコワには『ヤバいなと思っていた人がヤバかった』と『まさかあの人が』といったふたつのパターンが存在する。これは間違いなく後者であろう。

とても良好な関係だと思っていた親友が本心では自分を恨《うら》んでいた、と知るとショックも大きい。

しかし、法務省の『令和４年版犯罪白書』によると、この日本における殺人事件の約８割が『身内』『友人』『知人』『職場関係』などの面識がある関係で発生しており、その中でも親族関係は約５割を占《し》めるという結果になっている。

“近しい存在＝親しい”になるとは限らないということだ。

動機は憤怒《ふんぬ》から金銭トラブル、怨恨《えんこん》まで様々な理由があるだろうが、その中には投稿者のように一方的になんらかの恨みを持たれるといった場合もあるだろう。

『幸せそうな人を見ると許せなかった』という嫉妬《しっと》による無差別殺人も発生しているように、人間の嫉妬心とは時に人を殺《あや》めるまでに増大する。

さらにいうと『友人』のように上下の関係性がないものほど嫉妬心を抱きやすいのではないだろうか？　と私は思う。

隣の芝生《しばふ》は青く見えるとはよくいったものだが、人と比べてしまうのは人間の性質上仕方のないことなのかもしれない。

この嫉妬が憎《にく》しみへと変貌《へんぼう》するか否《いな》かは、そこに本人の『向上心』があるかどうかだと私は考える。嫉妬から始まる恋愛にも成功があるように。

しかし一度、憎しみに変わった相手には何をいっても無駄である。

こうなるとできることは『逃げる』しかないだろう。

十四話

出前配達員

【ペンネーム：(Mr.) オカルト・バンリズム】

私は出前配達のバイトをしている大学1年生です。

ある日の22時30分を回った頃、私のスマホに1件の配達依頼が届きました。場所は市内のアパートの○号室、注文内容はハンバーガーのセットです。目的地のアパートは、廊下《ろうか》が狭《せま》く2階建てで部屋が各階に3部屋ずつある、築20年程の一般的なアパートでした。

さっそく向かって駐輪場から建物を見上げた時、2階の廊下を歩く大学生くらいの若い女性が目に入りました。その女性はゆっくりとした足取りで○号室に入っていきます。その時私は『急いで行けば玄関先で渡せる』と考え、足早に階段を上がり、玄関の前へと行きました。ドアベルを押し、出てくるのを待ちます。しかし、いつまで経っても女性は部屋から出てこず、返事もありません。現金払いだったので何度か声を掛けたり依頼主に連絡をしましたが、やはり反応なし。

もう諦めようとした時、

「何してるんですか……?」

スーツを着た男性が話しかけてきました。私は出前の配達員であること、目的の部屋に入っていく女性を見たため声を掛けていたことを説明しました。

「いや、その部屋は僕が一人で暮らしている部屋なんですけど……」

「え？　そんなはずは……」

私はスマホを取り出し、この部屋から注文があったことを確認し画面を見せました。

「頼んでないです。女の人も気のせいじゃないですか？」

男性はそういって部屋のドアを開き「見ていきますか？」と私にいいました。

男性に促《うなが》されるまま、玄関に足を踏み入れましたが誰もいませんでした。この日は何かの間違いか、誰かの悪戯《いたずら》だったんだと自分にいい聞かせ、その場を去りました。

次の日のことです。またあの部屋から依頼が届きました。昨日の出来事は誰かの悪戯で、この注文はきっとあの男性からのものだ、そう自分にいい聞かせて再びあのアパートへと向かうことにしました。

到着し、昨日と同じように駐輪場から○号室を見上げます。2階の廊下には……。

「いない……」誰の姿もないことに安心し、思わず独り言が漏《も》れました。階段を上がり、○号室のドアベルを鳴らします。しかし……出ません。恐怖と、男性に通報されることを危惧《きぐ》しアパートを後にしました。その瞬間、風もないのに自転車が倒れたのは、何かの偶然だったのでしょうか？

休日を挟んで、最初の配達から4日目のこと。時刻は22時過ぎです。またあの部屋からの依頼です。怖いもの見たさというのでしょうか。3度目の依頼を受けることにしました。

駐輪場に自転車を停め、習慣のように○号室を見上げました。そこには3日前に見た女性の姿がありました。女性は廊下をゆっくりと歩き、○号室へと入っていきます。その時の私は恐怖よりも連日の悪質な悪戯に対する怒りを感じていました。文句をいってやろうと階段を駆け上がりドアベルを鳴らします。でも同じでした。半ばお手上げの状態で○号室に背を向け、何気なく駐輪場を見下ろしました。

「えっ……」

この部屋に入っていったはずの女が、私の自転車の前にいるのです。異様《いよう》に暗い洞穴《どうけつ》のような目をこちらへ向け、凍りついた私を見ました。女は顔を歪《ゆが》めました。私には笑ったように感じられました。

その瞬間私は、ここ数日間の体験が決して間違いや悪戯なんていう生易しいものではなかったということに気がつきました。このアパートにエレベーターはなく、階段もひとつしかありません。すれ違わずに2階から1階へ移動するなど、人間にはどうしたって不可能なのです。私はあることに気づいてしまいました。その女はアパートにゆっくりと歩いてきているのです。すでに1階の階段付近まできていました。

本当に恐ろしい時は何もできず声も出ないとよくいいますが本当にその通りでした。私は腰が抜けてその場に座り込んでしまいました。その間にも「**カツカツカツカツ**」と足音は聞こえ、それはついに2階の廊下に姿を現しました。数メートル先に女がいて、私は目を瞑りガクガクと震《ふる》えていました。足音が目の前まできて**私は半ば死を覚悟しました。**

しかし次の瞬間、足音は後ろから聞こえてきたのです。恐怖もありましたが疑問に思い、目を開けふり返ると、女はドアを開け○号室に入っていきました。その廊下はとても狭かったのでぶつからないようにすれ違うことはできても、すれ違った瞬間はわかります。目を瞑っていたので明確なことはいえませんがその女は恐らく私を、私の体の中を通り抜けて歩いていました。そこからの記憶は少し曖昧なのですが、駐輪場に急行してすぐさまその場を離れたと思います。

この出来事から3か月程経ったある日、配達依頼が届きました。またあの部屋からです。あんな体験はもう二度としたくはなかったのですが、真偽《しんぎ》を確かめたいという気持ちから、注文品は届けずアパート周辺まで行くことにしました。例のアパートが見える道まで行き、少し隠れながらアパートの廊下を見ました。またあの女がいるのです。柵に両手を乗せこちらがくるのを待っているような様子でした。私はここで怖くなり逃げました。

あの女の目的はなんだったのか、今となってはわかりませんし、もうあのアパートに行く気はありません。しかし私は**あの女が確実に人間ではない〝何か〟だと確信しています。**

たっくー深読み考察

出前配達員

最新のデリバリーサービスで起きた心霊体験。まさに“令和怪談”だといえるだろう。

私の場合、出前サービスに縁がない。詳しくはYouTubeで『たっくー 出前』と調べていただければ“たくさん”出てくる。

話を戻し、現在進行形ということも含めてゾッとする話だ。

何度も何度も存在しない相手からの配達依頼。しかも投稿者だけを対象にしているようにも思える。目的と正体がわからないことが一番恐ろしい。

しかし霊に目的を求めるのは無理があるのかもしれない。この現実世界に“ただ楽しいだけ”で罪を犯す愉快犯《ゆかいはん》がいるのと同様に、霊にも“ただ怖がらせたいだけ”の愉快犯もいるのではないだろうか。

ただ『ハンバーガーセットで油断させて急に消えたら怖いかな……』などと霊が一人で考えていることを想像したらちょっと可愛く感じてしまう。

殆どの事件に動機があるように、今回の霊にも何かしら理由があった場合のことを考えてみると、最初にスーツを着た男性と出会ったのは本当に偶然だったのだろうか？

もしも女性が、投稿者がスーツの男性と出会うように仕向けていたとしたら、何か男性に対して訴《うった》えかけているのかもしれない。

しかし現在進行形の出来事で責任は取れないので、煽《あお》るような発言は控《ひか》えよう。

『できるだけ』その場所には近づかないようにしてくれ。

十五話

大好きな叔母さん

【ペンネーム：とくまるこす】

これは6年前の話です。

僕には生まれてからずっと可愛がってくれている叔母さんがいて、本当に良くしてくれるので大好きでした。

しかし別れは急にくるもので、叔母さんは当時つき合っていた相手の浮気《うわき》が原因で自殺してしまいました。自殺した場所は6階建てマンションの2階で、スーパーに買い物へ行く時などにそのマンションの前を通るので、その度に落ち込み、その部屋を見てしまうようになりました。

そんなある日、また現場の部屋を見るとそこに叔母さんが立っているのが見えました。

最初は見間違いかなと思いましたが、その後もその部屋のカーテンの隙間《すきま》や窓からこちらを見ている叔母さんの姿が見えるようになりました。叔母さんは亡くなってしまいましたが、お化けとして出てきても大好きな親戚です。会えることがだんだん嬉しくなってきて手をふったらふり返してくれるようになりました。それからというもの毎日ルンルンでマンションに通い、お供《そな》え物をして手をふって帰る日々が続きました。

2か月が過ぎた頃から叔母さんの表情が暗くなっていることに気づきました。辛そうな顔をしていることが多くなり、叔母さんは辛い思いをしているのではないかと思うようになりました。亡くなってその場所にとどまり続けるのは良くないということを、心霊番組やYouTubeで知り、辛そうな叔母さんの顔を見て成仏させてあげたいと思うようになりました。

そこで趣味を通じて知り合ったお坊《ぼう》さんに事情を話し、供養してくれないかと頼んだら快く引き受けてくれたので、これで叔母さんに少しでも恩返しができるかなと思っていました。

まだマンションに住んでいた叔母さんの元恋人に部屋を使わせてもらうために会いに行き、事情を話すとひきつった顔をしながらも了承してくれました。部屋に行った時も温かいような視線を感じてやっぱり叔母さんはいるんだと嬉しくなりました。

供養当日、お坊さんを車で迎えに行きました。その車内でお坊さんから「何があっても心を強く持ちなさい。君の行いは良いことで叔母さんは喜んでくれている」といわれました。

30分くらい車を走らせたあと、現地に着いて部屋に向かいました。お坊さんは元恋人に挨拶をして何か話をしていました。その後、僕のところにきて御札《おふだ》を手渡し「これをしっかりと持っていなさい」といいました。幽霊とはいえ僕の親戚の叔母さんが何かするわけがないし、いいやと思いつつ、念のためポケットに御札をしまいました。

そしてお坊さん、僕、元恋人で式を行いました。式が終わったあと、叔母さんが無事成仏できたかお坊さんに聞くと、とんでもない回答があったのです。


「君の叔母さんはここにはいないよ」


意味がわかりませんでした。

よくよく聞くと、**ここの部屋にいたのは僕の叔母さんではなく叔母さんのふりをしていた**霊で、たぶんこの同じ部屋で亡くなってしまったのだということでした。

僕が見ていたのは一体誰だったのでしょうか。

そして御札を渡されたということは、お坊さんは何かに気づいていたのでしょうか……。

たっくー深読み考察

大好きな叔母さん

この話の結末を読んだ時、私は思わず声が漏れてしまった。

『実は誰も住んでいなかった』などの結末は、もはや鉄板だが『いるけどその霊じゃない』はさらに恐怖を上回ってくることがわかった。

『霊の感じ方』というのは人それぞれであり『聞こえる人』もいれば『においを感じる人』『視える人』も存在している。

　ひとつの心霊スポットで様々な現象の報告があるのはこのためだろう。

　さらに実際はその場所にいるのではなく、取り憑かれた人が心霊スポットに行くことで、取り憑いている霊が力を増し、その霊の存在を感じやすくなる場合もある。

投稿者は大好きな叔母さんが亡くなり精神的に弱っていた状態で、部屋を何度も見てしまっていた。この心の隙間に霊は入り込んだのではないだろうか。

　お坊さんは投稿者と初めて会った時、そのことにすでに気づいていたのかもしれない。

　そう考えると、霊は自身の姿を変えずして対象者にどう見せるかをコントロールすることができるのかもしれない。もしそうであれば、対象者ではないお坊さんが、叔母さんではないことを知っていたのも納得である。

　しかし、叔母さんに見えていたために投稿者が『成仏させたい』と思うようになったことを踏まえると、部屋にいた霊は何を考えていたのだろうか？

『成仏したくて投稿者を利用した』

　いやいやいや。お坊さんが入ってきた時に舌打ちしながらこう考えたかもしれない。

『余計なことをしやがって』

　目に見えるものが真実とは限らない。

　それは人であっても霊であっても同じことのようだ。

十六話

呪われたアパート

【ペンネーム：アカバネ】

私はもう担当から外れてしまったのですが、うちの会社で設備の修理を担当しているアパートに、呪われたアパート『A』（仮名）があります。そのアパートはかなりゴチャゴチャした立地にあり、ナビでも正確な位置が出ないため、現場がわかりづらいことでも有名でした。

『A』の担当を引《ひ》き継《つ》ぐ時、前任者だったTさんから、

「あそこに行く時は、昼間に行ったほうがいい、夜はやめておけ」

といわれたことがあります。その時はTさんが何をいっているのかよくわからなかったのですが、今ならわかります。そこは、夜に行ってはいけない場所だったのです。

しばらくしてTさんが失踪《しっそう》して行方がわからなくなってしまったあとのことです。『A』の修理依頼が申し込まれました。『A』から依頼がくる時は、毎回必ず未入居の状態での申し込みでした。未入居ということは『誰もいない』ということなので、こちらの都合で現場に入ることができます。普通の現場は時間が決まっていることが多いため、必然的に未入居現場の訪問は、最

後のほうになってしまいます。

その日は雨が降っていました。時計の針は19時を回っており、完全に日が暮れていました。現場近くまできているはずなのに『A』の場所がどうしてもわかりません。仕方がないので近くに住むという『A』の大家さんの自宅に電話をかけました。電話が大家さんに繋がり、

「『A』の場所がわからないので、目印を教えてほしい」

と伝えました。

大家さんはなぜか機嫌が悪い感じでした。

「あんた、これから『A』に行くの?」

「すみません、仕事が押してしまって、物音は立てませんのでよろしくお願いします」

「夜に行くのは危ないから、やめとけ。今日はもう遅いし、明日にしてくれ」

といわれたあと、ガチャリと電話は切れてしまいました。

次の日も予定はぎっしりと詰まっており、何よりも現場近くまできているのに何もせずに帰るということが、その時の僕には考えられませんでした。

辺りは真っ暗で視界が悪く、見えるものといえば、少し先にある自販機《じはんき》だけ。飲み物を照らす蛍光灯《けいこうとう》が切れかかっているのか、自販機がチカチカとモールス信号のように点滅《てんめつ》していました。

すっかり歩き疲れてしまった僕は、コーヒーでも飲もうと自販機の前で立ち止まると、自販機の横に隠れた細い小道を見つけました。ひょっとしてここかなと思い、その細い小道を進んでいくと、奥にどんよりとした雰囲気《ふんいき》の2階建てアパートを見つけました。外に『A』と書いてあり『やっと見つけた』と胸を撫で下ろしました。

依頼があった部屋の前に着き、鍵を取り出していると、部屋の中から**ガリガリ、ガリガリ**と何かを引《ひ》っ掻《か》く音が聞こえるのです。未入居現場で他の業者とかち合うことはたまにあるのですが、時計の針はすでに20時を回っており、こんな時間に業者が仕事をしているのも考えにくいので、チャイムを鳴らしてみました。

ピンポーン、ピンポーン、暗闇《くらやみ》の中で響《ひび》くチャイムの音、返事はありません。室内の音に耳をすましていると、さっきまで聞こえていたガリガリという音が聞こえないのです。返事はありませんでしたが、部屋に誰かいるのは間違いありません。キッチン前のすりガラスから見える部屋の中は真っ暗で、明かりも何も見えません。嫌な感覚がしました。何かよくないものがいる、不思議とそう感じました。

Tさんと大家さんが『夜はやめたほうがいい』といっていたその言葉が、警鐘《けいしょう》のように頭の中に響いていましたが、雨の中を歩き回りやっと辿り着いた現場で、何か嫌な予感がするから帰るという選択肢は、僕の中にはありませんでした。

「修理の業者です、開けますよ」と声を掛けて、キーを回すと、ガチャリと鍵が開く音がしました。ヘッドライトのスイッチをつけ、玄関の扉をそっと開きました。

玄関の扉は経年劣化《けいねんれっか》からくる歪みで異常なほど重く、力を入れるとギギギッギギギッとカミキリムシの鳴き声のような音がしました。玄関の扉を足で押さえ、部屋を見回しましたが人の気配はありません。

「誰かいますか？　修理の業者です。入りますよ」

と再度誰もいない部屋に声を掛けました。するとどこからかガリガリと何かを引っ掻く音が聞こえました。音がするほうをライトで照らすと、ビリビリに破れた壁紙が見えました。

壁紙は縦《たて》に引っ掻いたように破れており所々に血が変色したような、どす黒い汚れが付着していました。ライトで破れた壁紙を照らして見ていると、何か文字が書いてあるのが見えました。

玄関が勝手に閉まらないようにストッパーをセットし、破れた壁紙に近づきました。破れた壁紙に『**くるしい　くるしい　だれかたすけて**』と書いてありました。

次の瞬間です。

「ガリガリ」

音が聞こえました。ふり向くと誰もいません。ただ音だけは、何かを引っ掻く音だけは、はっきりと聞こえるのです。**ガリガリ、ガリガリ**……。

『ここは本当にヤバイ、早く逃げなきゃ』

すると玄関のストッパーが勝手に外れて、**ギギギッギギギッ**と音を立てながら玄関ドアがガチャリと閉まったのです。暗闇の中、何かを引っ掻くガリガリという音だけが響き、僕は我を忘れて、その場から逃げ出しました。

翌日『A』を管理している不動産会社の人から聞いた話ですが、その部屋には以前寝たきりのおじいさんが住んでいたそうです。発見された時は死後1週間以上経っていたそうですが、そうとう苦しかったのでしょう、**爪《つめ》が剥《は》げるまで、壁を引っ掻きながら死んでいったそうです**。

『くるしい　くるしい　だれかたすけて』

あの文字は、その時血だらけになった指で、おじいさんが書いたものなのでしょうか。

『くるしい　くるしい　だれかたすけて』

と誰かを呼びながら……。

だれか

たっくー深読み考察

呪われたアパート

事故物件にまつわる話なのだが、実は投稿していただいた際、この話の『A』とした物件は住所、そして建物名まで記載されていた。当然、生配信で公開できるわけもないのだが、該当《がいとう》の物件と思われる建物は実在している。

事故物件と聞くと怖いイメージが強いのだが、今や“人が亡くなったことがある物件”はそう珍しくもないだろう。

情報社会になった現代では周知される数も増えているといえる。

国土交通省が集計した『死因別統計データ』によると、東京都区部での65歳以上の孤独死《こどくし》は2018年に3867人となり、15年の間におよそ2.7倍に増加している。

さらに警察庁のホームページにある資料によると、2022年の自殺者は2万1881人。

このうちそれなりの数がアパートやマンションである可能性も考えると事故物件はかなりの数にのぼりそうだ。

ただ、不動産に行っても家賃《やちん》があからさまに安い物件を紹介されることはあまりないのが現状だ。

そこで実際に不動産会社に勤める方にお話を聞いた。すると驚くべき答えが返ってきたのだ。

「事故物件は殆ど空室にならない」

その理由を聞くと、若者の収入低下により告知義務のある物件でも家賃が安くなっていれば即入居者が決まってしまい、その殆どは長く住み続けるというのだ。

何かが起きることもないという。

しかし中には心霊現象が起きる事故物件も確かにあり『入居者だけではなく、管理会社の入れ替わりも頻繁に起きる物件』は怪しいと思ったほうがいいとのことだ。

つまり本当に“出る”物件は管理会社すら手放すほど危険だということである。

十七話

本当に怖いもの

【ペンネーム：田中】

私はタクシー運転手をしています。これは私が新人だった頃に体験したことです。

朝のラッシュを終えて一息つこうとしていた時、配車が入りました。すぐ近くだったので、これをやったら休憩《きゅうけい》しようと思いお迎え先に向かいました。

そこには20代と思しき若い女性が立っていました。目的地を確認すると、とある保育園でした。

その女性はどこか虚ろな表情で、ぼーっと窓の外を眺めているだけでした。

目的地に着くと、散歩の時間だったのか園児たちが外に出てきているところでした。

支払いを終えドアを開けようとした時、それまで自ら喋らなかった女性から「あの、ひとつお願いがあるんですけど」といわれ「はい、どうかされましたか？」と尋ねると女性が窓の外を指差しながら、

「あそこの、黒のメガネをかけた男の子見えますか？」

「はい、見えますが」

そして、女性は表情もトーンもひとつも変えることなくいったのです。

「あの男の子を車で轢《ひ》いてほしいんです」

「は?」

「ですから、あの子を轢いてほしいんです」

私が困惑していると「できないなら私がやる!」と今まで静かだった人とは思えないほど豹変し、車内で暴れ出しました。私は急いでエンジンを切り非常通報ボタンを押して、配車センターから警察に通報してもらいました。

警官が到着するまでの間、女性は、こちらの鼓膜《こまく》が破れるのではないかと思うくらい激しく叫び、暴れていました。私は本当に生きた心地がしませんでした。その後、到着した警官によって女性は連れていかれました。

後日、営業所長に聞いたところ、女性が轢こうとした男の子は不倫《ふりん》相手の子で、事故に見せかけて子どもを殺せば、家庭がなくなると考えての行動らしいです。

タクシードライバーといえば幽霊話が定番ですが、**幽霊より生きている人間のほうがよっぽど怖い**と思えた経験でした。

たっくー深読み考察

本当に怖いもの

投稿者のいう通り『タクシー運転手が経験した怖い話』と聞けば、多くの方が心霊現象を想像するだろう。

『乗車したお客様が消えていた』『シートがずぶ濡れになっていた』などなど……。

それらも十分恐ろしい出来事ではあるが、運転手さんにとって本当に怖いのは『お客様とのトラブル』ではないだろうか。

ましてや『あの子を轢いてほしい』なんて突然いわれたら絶句するだろう。

非常におっかない客であると同時に憤《いきどお》りを感じる内容である。

不倫の挙句に罪のない子どもに怒りをぶつけようとし、さらに第三者を巻き込む。身勝手の役満《やくまん》ではないだろうか。

もしかするとこの女性も悲しい思いをしたのかもしれないが、その背景を考えても許される行為ではない。

『惜《お》しみなく愛は奪う』とはまさにこのこと。これは小説家・有島武郎氏著の評論作品であり『愛は惜しみなく与《あた》う』という言葉を残したトルストイに対し、果たして与えるだけが愛なのか？　相手のすべてを奪いたいと感じるのもまた愛ではないか？　と綴《つづ》った作品なのだが、投稿にあった『子どもの命を奪えば家庭がなくなり彼を手に入れることができると思った』という動機、これもひとつの愛の形なのだろうか？

『他を愛することに於《おい》て己《おの》れを愛している』という自己愛を有島氏は綴ったが、他を愛し己れを愛した末に叶わなかった愛はこんなにも人を迷わせるのだろうか。そう感じさせる体験談であった。

十八話

ヤマビコ

【ペンネーム：人造ゴリラ8号】

これは高校生の頃、友人Aと山登りをした時のことです。

その山は、登山用の装備《そうび》も必要なく、小学生でも1時間程で登頂《とうちょう》できる手軽さから、地元民からは親しまれていて、私もAも何十回とこの山に登ったことがあります。

その日は午前5時頃から登り始めました。朝早いのに多くの人とすれ違い、その度に「おはようございます」とお互いに挨拶をしました。『こんな朝もいいな』そんなことを思いながら1時間程で登頂し、Aは山頂で「ヤッホー」と大きな声で叫んでいました。Aは満足すると「じゃ、帰るか」と私にいってきて二人で下山を始めました。

山の中腹《ちゅうふく》に差しかかった頃、背後から「おーい」と誰かに呼ばれました。ふり返ると、登山服に帽子《ぼうし》を被《かぶ》ったおっさんが、離れた場所で我々を呼んでいました。

「おーい！　おーい！　おーい！　おーい！」

それを聞いてAが「なんですかー」と大声で返しました。その後もおっさんは「おーい」と連《れん》呼《こ》するばかりで返事がくることはありませんでした。私はAに「いいよ、行こう」といい、Aも「そうだな」といって二人で下山を続けました。

その後もおっさんは「おーい」と連呼しながら私たちの後をついてきました。私はだんだんと不気味になり「なぁ、ちょっと怖くね」とAにいいました。Aは「それもそうなんだけどさ、なんで誰ともすれ違わないの?」と私にいいました。確かにAのいう通り、登っていた時にあれほどすれ違った登山客と全くすれ違わないのです。

鳥の声や木々の揺《ゆ》れる音も聞こえず、ただおっさんの「おーい」という声だけが山に響いていました。そしてもうひとつ不可解だったのは、おっさんは私たちに近づいてくるわけではなく、一定の距離をとって私たちの後をついてくることでした。

私たちが止まるとおっさんも止まり「おーい」と呼んできます。何かあった時のためにスマホで動画を撮《と》ることにしました。少しの間おっさんを撮っていると、Aが急に「走るぞ」と一言だけ私にいいました。私はわけもわからずAと一緒に登山道を駆け下りていきました。その時も「おーい」という声は聞こえていましたが、だんだんと声が遠のいていき最終的には聞こえなくなりました。

しばらく下山して「どうしたんだよ?　急に」とAに理由を聞きました。Aに「お前、おっさんの顔見た？」といわれて私は「いや見てない。離れていたし、おっさん帽子被っていたから」と答えました。Aはあの時、撮影中にカメラをズームしたらしくおっさんの顔を見たといいます。

Aは私に、

「あのおっさん……**顔が**……**人間じゃなかったぞ**……」

背筋がゾッとなり私は「どんな顔だった？」とAに聞きました。Aは「なんだろう？　動物みたいな？　犬？　犬に似ていた気がする」と私にいいます。早速Aが撮った動画を二人で見てみると、動画にはおっさんなど映っておらず、何もない登山道が動画には収められていました。「なんだコレ？　じゃあ……俺は何を撮っていたんだろう？」とAがいいました。

その時。

「……**い**……**ーい**……**おーい**」

とまたあのおっさんの声が聞こえてきました。今度はどんどん声が近づいてくるのです。

「**おーい！　おーい！　おーい！　おーい！**」

私たちは怖くなり、一目散に下山を始めました。数分程で山の麓《ふもと》に着き「助かった」と心の底から声が出ました。Aが「結構ビビったな」と笑いながらいったのでAの笑顔に安堵して私は「ちょっと物足りなかったかな」と冗談をいいました。Aは「嘘つけよ！」と返してきて二人で笑い合いました。

　すると耳元で誰かが、

「おーい」

と声を掛けてきて私もAも叫び声をあげて逃げました。

　後にわかったことですが、山には〝山彦《やまびこ》〟という妖怪がおり、Aが見たおっさんの顔はそれにそっくりだったといいます。

　私たちが見たのは妖怪だったのでしょうか？

　あれ以降、怖くてあの山には登っていません。

たっくー深読み考察

ヤマビコ

ただ近づいてくるというのは、目的がわからない恐怖がある。

この手法は、海外ホラー映画の設定でもよく使用されている印象である。

1971年にアメリカで公開された『激突《げきとつ》！』という映画は1台の大型タンクローリーがひたすら追いかけ回してくるという斬新《ざんしん》な内容に加え、その運転手の顔は一切映らないという、追いかけられることだけにフォーカスした作品なのだが、この作品は第1回アボリアッツ国際ファンタスティック映画祭グランプリを受賞する人気作品となった。

そのくらい人間とは『追いかけられること』に恐怖を感じることがわかる。

そしてこの日本において先人たちは説明のつかない事象が起きると『妖怪の仕業《しわざ》ではないか？』と考えるようになった。

妖怪は『古事記』や『日本書紀』にも登場し、投稿に出てくる“山彦”も日本の妖怪である。科学が進歩していない時代に山の斜面に向かって音を発した時、反響《はんきょう》して遅れて返ってくるのは『妖怪が返事をしているのではないか？』と人々は考えたのだ。

ただ声を返してくるだけなので何ひとつ害はないとされているのだが、気に入った相手には『何度も声を返して追いかけてくる』ともいわれているので想像するとなかなかである。

しかし、ここまでの考察はそれが“山彦”であった場合の話だ。

大昔から存在する妖怪が帽子を被ることなんてあるのだろうか？

“おっさん”が叫びながら、一定の距離を保ち、意味不明に追いかけてくる。

名作『激突！』にも負けない恐怖体験である。

第十九話

カラオケの映像

【ペンネーム：あいにゃん】

これは1990年代、まだ私が小学校に入りたての頃に、実際に体験した話です。

両親と三人で、当時町にやっとできたカラオケ店に行きました。チェーン店ではなく、個人でやっているような小さな店舗でした。

当時、私は歌うのが特別好きというわけではなく、両親が楽しそうに歌うのを見るのが好きでした。そのため、基本的には親の歌に合わせて手拍子《てびょうし》をしたり、頼んだお菓子を食べたりして過ごしていました。

しかし、その日は両親から「たまには何か歌えば?」といわれ、当時好きだったアニメの曲を歌うことにしました。

歌い始めて少し経った頃、歌詞の後ろに流れる映像が不思議なことに気づきました。普通アニメの曲を歌う時、背景はアニメ映像や、子ども向けの映像が流れることが多いと思いますが、その時はちょっと様子が違いました。

映像では、歯が痛そうな男の人が道を歩いていました。私は不思議な映像だと思いつつも、両親を見たらニコニコしながら手拍子をしているので、こういうものなのかと思い、歌い続けました。その映像の男は、痛い歯をどうしても抜きたいようで、指で思いっきり歯を引っ張っています。そして、1台の黒い車を見つけて、男は何かを思いついたような動きをしました。その後、男はニコニコしながら紐《ひも》の端を**車体の後ろに括《くく》りつけ、もう一方の紐の端は自分の歯に括りつけました**。

ここで私はとても嫌な予感がしましたが、歌詞を見ないと歌えないし、歌詞を見るとどうしても映像が目に入ってしまいます。

男は歯と車を紐で繋げた状態で、笑顔でうつ伏せに寝転がりました。そして、車がゆっくりと動き出しました。紐がピンと引っ張られ、男は苦しそうに悶《もだ》えました。音声はないものの、その表情は苦痛そのものでした。

もう見たくないという気持ちと、ほんのちょっとの好奇心と、全く気にせずにニコニコしている両親の顔で、私の心はぐちゃぐちゃになりながら歌い続けました。

男の苦痛の表情のあと、映像のカットが変わり、車が走り去る映像になりました。そして、

紐に繋がった先には頭蓋骨《ずがいこつ》がカランカランと引っ張られており、その奥には、頭部が皮だけになった男の人がうつ伏せで寝ていました。

そこで曲が終わりました。私は恐怖のあまりただただ呆然としていました。両親は映像については全く触れることなく、私の歌をとても褒《ほ》めてくれました。

その時から私の中でこの曲は大きなトラウマとなり、20年以上経った今でも歌えません。当時のカラオケ店は数年後に閉店し、直後にカラオケのチェーン店が新たに建ちました。

今でも、時々思うことがあるのです。

あれは、本当にただのカラオケの映像だったのでしょうか？

そして両親が見ていた映像は私と同じものだったのでしょうか？

たっくー深読み考察

カラオケの映像

霊は楽しいところに集まる──。

これはあまり知られていないだろう。『霊が集まる場所』と聞くと暗い廃墟など、どうしてもダークなイメージがある。しかし、地縛霊のような霊を除いては賑《にぎ》やかで人が多い場所に集まることのほうが多いようで、これは霊感のある方々が口を揃えていうので真実である、と断言しておく。

故に人が常に集まる有名な観光地などで、心霊写真が頻繁に撮影されるのにも納得がいってしまう。この話のカラオケも例外ではないだろう。

しかしひとつだけ引っ掛かる部分がある。これがメッセージ性のある心霊現象だとは思えない、ということだ。

映像をもし投稿者にだけ変えて見せていたとしたら、何が目的なのか全くわからないのだ。

『ただ怖がらせたかった』といえばそれまでなのだが、これがトラウマになっているとなると、こう仮定するのはどうだろうか。

『家族全員が同じ映像を見ていたが、自分だけ怖く感じた』

私は昔、映画『リング』を観た時に、あまりの怖さに腰を抜かした記憶がある。しかも中学生になる頃まで『貞子が走ってTVから出てくる』と記憶違いしていた。

実際には『ゆっくりとこちらに向かって移動してTVから出てくる』というのが正解だ。

つまりここで私がいいたいことは“幼少期の記憶は正確ではないことがある”ということだ。

しかし、仮に何かメッセージを伝えようとして貴方だけに見せた映像なのであれば、こうだろう。

『俺はこの方法で殺された』

霊が人の多い場所に集まる理由は、気づいてくれる人を探しているからなのかもしれない。

〝アレ〟

【ペンネーム：りゅうちゃん】

私には霊感がなく、幽霊やオカルト的なものは全く信じていませんでした。

その出来事が起きるまでは……。

それは、私が勤続《きんぞく》3年目の夏に起こりました。普段通り、家でTVを見ている父に「行ってくるわ！」と告げ、家を出ました。私のことはNとします。

会社に着き作業をしていたその時、総務の人が「N君、お父さんから電話やで。なんか急いでいるみたいやから電話繋ぐね！」と電話を渡してきました。

私は、今まで父が会社に電話をかけてくることなんて一度もなかったので、少し驚きましたが、何か緊急の用事なのだろうと思い電話を取ると、

「**Nか！ 大丈夫か!!**」

いきなりすごい勢いで、私の安否《あんぴ》を心配する父。どうしたのかと聞くと、

「さっき家にお前がおったんや」

「いやいや、俺、朝会社に行ったきり家帰ってへんで。弟と見間違えたんちゃう？」

「いや、弟はバイトやろ、それはない。それに、はっきり見たんや。通勤バッグを持って『ただいま〜』いうて俺の部屋の前に立ってたお前を」

「『ただいま』っていうて、その後どうしたんや俺は？」と聞くと、父は「お前は笑ってた」というのです。

私は全く意味がわからず「どういうこと？」と聞き返しました。

「お前がずっと、俺の部屋の前で気味悪いくらい笑っとった。俺が『なんで今日はこんなに早く帰ってきたんや？』って聞いても無視してずっと笑っとった」

私は気味が悪くなって「なんやねんそれ……」というと、

「こっちのセリフやわ、ほんでしきりに笑ったあと、階段上がってってったわ。なんかおかしいと思って、あとでお前の部屋に行ったんや。でも誰もおらんかった」

といいました。そして父は、私の部屋の隣にいた母に「アイツ帰ってきたよな？」と聞いたそうです。そうすると「うん。あの子『ただいま』いうて、めっちゃ笑ってたよ。なんかええことでもあったんかいね〜」と母は父にいったそうです。

それを聞いた父は自分の勘違《かんちが》いじゃないことを確認し、私に何か起きていないか心配で、安否確認するために電話をかけてきたそうです。

その一連の話を聞いた私はゾッとして、言葉が出ませんでした。最後に父は「今日は何かと気をつけて帰ってこいよ」と私にいい残しました。

作業を再開していると、作業長が「今日は○○に応援行ってくれんか？」といってきました。そこは大型の機械が多く、万が一巻き込まれたら命を落とす可能性があるところでした。

そこでさっきの父の一言を思い出して、作業長に電話の内容を話しました。すると作業長は腕に鳥肌がブワァ！　と立って、

「今日はやめといたほうがええんちゃうか！　うん、やっぱり応援はええわ」

といってくれたので、その日は安全な部署で、1日作業を終えました。

家に帰ると父が「無事やったな、よかったわ」といい「〝アレ〟はたぶんお前の生き霊かなんかやと思う。お前になんか危険があることを知らせにきてくれたんちゃうか？」と昔から霊感があるという父が自分の見解を伝えてきました。私はそれを聞いて安心し部屋を出ようとした時、なぜか見たことがないはずなのに**〝私〟が父の前で、大きく口を開けて笑っている**姿が脳裏《のうり》をよぎりました。

〝アレ〟は本当に私の生き霊だったのでしょうか？

今も思い出すと鳥肌が止まりません。
後にも先にも、私の心霊体験？　はこのひとつだけです。

たっくー深読み考察

〝アレ〟

この話は、いわゆる虫の知らせの上位《じょうい》互換《ごかん》のような体験であり、結果的には何事もなくハッピーエンドなのだが、果たして本当に危険を知らせてくれたのか？　という疑念《ぎねん》が怖さを際立たせている。

もし危険を知らせるのであれば、もっとわかりやすい方法はいくらでもあったのでは？　と思えてしまう。

もし、知らせるためではなく他の意図があったと仮定すると“ドッペルゲンガー”などが、この類のものではないだろうか。

このドッペルゲンガーは『自分で目撃した』という話よりも『挨拶したけど無視された』など、第三者から報告され判明するケースが意外にも多いのだという。ドッペルゲンガーは霊魂《れいこん》が肉体から分離《ぶんり》して有形化したものといわれ、パラレルワールドから出現しているという説や、“その人物の死の前兆である”という説もある。因みにドッペルゲンガーという言葉がドイツ語であることはあまり知られていない。

さらにドッペルゲンガーの特徴として、

①人間と会話をしない

②本人に関係のある場所に出現する

③ドアの開け閉めができる

などがあり、この話とも共通する。だが、その目的については明らかになっていない。そこが厄介《やっかい》なのだ。

最終的な目的さえわかってしまえば、こちらもいざという時にひっぱたくなどの対処《たいしょ》ができる。

実際、この投稿者のお母様は心配しておらず、寧《むし》ろ笑う“アレ”を見て『良いことでもあったのか？』と感じたくらいだ。

しかし、もし、お父様が心配せずに電話をしていなければ、どうなっていたのだろうか？

大きく口を開け、笑っていたもう一人の自分は危険を知らせるための生霊だったのだろうか？

どうも私にはそうは思えない。

貴方の肉体と入れ替わるチャンスを楽しみに待っていたのかもしれない。

二十一話

気持ち悪いアパート

【ペンネーム：みーちゃん】

これは私が大学を卒業して、働き始めてすぐの話です。私はその時、職場に近いアパートに住んでいました。そこは、ひとつの敷地内《しきちない》に、各階2部屋ずつある建物が3棟建っているタイプのアパートでした。

私はA棟の1階に住んでいました。当初、私が引っ越してきた時は満室でしたが、すぐに上の階の人が出ていきました。

ここは2LDKだったので、ご家族で住む方が多く、治安も良さそうでした。

その年の8月になった頃、夜になんとなく視線のようなものを感じるようになりました。ただ霊感はなかったので、気のせいだと思ってスルーしていました。

しかし、8月の終わり頃になると夜中の1時半から3時頃にかけて上の部屋から子どもが走り回るような足音が聞こえ始めました。最初は「誰か引っ越してきたのかな？」と思っていましたが、誰も引っ越してきていませんでした。その後、部屋に一人のはずなのにお風呂に入っていると後ろから女の人の笑い声が聞こえたり、相変わらず上の部屋から走る音が聞こえたりと嫌な感じはしていましたが、実害はなかったので放置していました。

ところが9月下旬から11月にかけて体調が急激に悪化し、咳《せき》が止まらなくなりました。病院に行っても原因はわからず、さらにはずっと頭痛がするようになり、鎮痛剤《ちんつうざい》が手放せなくなったので脳神経外科にも行きましたが原因はわかりませんでした。

心配した父親が、お坊さんにお願いして、お祓いをしてもらいました。その時いただいた御札を枕元に貼ってからは、ぴたりと足音や声は聞こえなくなりました。

体調も回復し、バリバリ働いていました。うちは自治会もあり、アパートの地区の会長を任されていたので、その仕事もそれなりに頑張っていました。なので、それぞれのお部屋の方々と顔を合わせたり一緒に奉仕活動をしたりすることもありました。

それから数か月が経ちました。4月か5月頃だったと思います。

木曜の夜でした。次の日は絶対に休めない仕事だったので、よく覚えています。夜の10時頃にお風呂に入ろうと思って、リビングで服をすべて脱ぎました。恥ずかしながら、いつもリビングで脱いで、寝室の前を通ってお風呂に向かっていました。

その日も同じように寝室の前を通った瞬間、寝室の窓から視線を感じました。ぱっと部屋を見ると、そこにはカーテンが少しだけ空いた窓がありました。そして**たった数センチの隙間から見えたものは……スマホのカメラだったのです**。心臓が止まるかと思いました。お風呂場まで歩いていたので、部屋を通り過ぎてから頭が真っ白……。お風呂場で固まっていました。

怖くて彼氏に連絡すると「警察に電話したほうがいい」といわれ、すぐに110番しました。

数分後、パトカーがきました。

現場検証をしてもらうと、やはり寝室の外に靴の跡が残っていたそうです。

警官から「他に変わったことない？」と聞かれ、ふと最近、洗濯物しか干さない部屋に見知らぬ液体の跡があったことと、3週間ぐらい前に仕事から帰るとホットカーペットとソファにネトっとした液体がついていたことを思い出しました。

それを話した途端、一気に空気がざわめいたのを覚えています。そこからは鑑識《かんしき》の人たちがきて、指紋《しもん》やDNAを採取しました。

その頃には、遠距離恋愛をしていた彼氏が車できてくれ、彼氏もDNAを採取されました。家の中、家の外をくまなく現場検証された結果、外の室外機に凹みがあり、室内に侵入された形跡があるとのことでした。そこからは朝の4時頃まで現場検証され、彼氏も警官も帰り、一睡もできないまま仕事に向かいました。上司に事情を話し、外せない仕事をしてから家に帰りました。

後日、警察から連絡がきて、家の中から私でも彼氏でもない人のDNAが検出されたとのことでした。誰が入ったかもわからない部屋が怖くなり、すぐに引っ越しました。

のちに、犯人を逮捕《たいほ》したと連絡がありました。犯人は誰だったと思いますか？　ふら〜っとたまたま開いていた私の家を狙ったと思いますか？

違うんです。犯人は、なんと、**隣の棟の妻子持ちの男性**でした。しかも、自治会でお会いしたことがあった女性の夫でした。私の仕事柄、平日は帰宅が遅いこと、彼氏の車がない日は誰もいないことを把握《はあく》していたそうです。

とんでもない変態がこんなに近くにいたなんてびっくりしました。犯罪者って案外近くに潜んでいるものなんですね。

でも、**2階の足音や、背後から聞こえてくる女の人の笑い声はなんだったのでしょうか……。**

それからは、あのアパートは心霊とヒトコワ両方を兼ね備えているので、近づいていません。

たっくー深読み考察

気持ち悪いアパート

出た。上巻にも登場した“心霊”と“ヒトコワ”の『どちらであっても怖い』という最恐の怪談。

しかし今回の話はひと味違う。

なぜならストーカーは実在しており、それも隣の棟の妻子持ちの男性だった。そんなヒトコワに加え、誰もいないはずの上階から子どものような足音がするという心霊現象の恐怖を兼ね備えたハイブリッド怪談なのである。

『どちらであっても怖い』怪談よりもさらに上ではないだろうかと私は思う。

色んな意味で投稿者にはお疲れ（お憑かれ、お付かれ）様でしたと声を掛けたい。

さて、こうした不幸が連続して起こる理由が実は『場所にあるかもしれない』ということをご存じだろうか。

こういった場所は“忌《い》み地《ち》”と呼ばれ、霊の呪いや祟《たた》りなどによって負の連鎖が起こるといわれている。

さらにその力は何百年にもわたって蓄積《ちくせき》されていくので簡単に浄化することはできず、その数は想像よりも多いと思われる。

こうした忌み地は皆さんの近所にも存在しているのではないだろうか。立地は良いのになぜか潰《つぶ》れるお店などなど。

知り合いの不動産会社の方は私に教えてくれた。

本当にヤバいのは『何が起きたか？』よりも『なんの上に建てられたか？』だということを。

もしかすると貴方の今いる場所も、無数の怨念《おんねん》が込められた忌み地かもしれない。

皆さんはスーパーに行って『この棚、妙に商品が少ないな』と思ったことはないだろうか。

スーパーといえばそれぞれの棚に目いっぱいの商品が並んでいるイメージなのに、いつも妙に少ないところがある。これにはこんな理由もあることをご存じだろうか。

取材でとある店舗を訪れた時、店長が「ここには幽霊部屋があるからね」と呟いた。

「どこですか⁉」と聞くと、ひとつはバックヤードだった。スーツを着たおじさんや、赤いランドセルを背負った女の子などが出るのだという。ただ完全に人間にしか見えないそうで、売り場に戻るように注意をするが視線を戻すといない。そんなことが頻繁《ひんぱん》に起こるらしい。

もうひとつはゴミ捨て場だった。ここでは足だけが歩いている幽霊が出るのだという。

ただ、これだけなら『お客さんに迷惑もかからないしいいだろう』と思うかもしれない。実は問題が起きているのはバックヤードとゴミ捨て場だけではなかったのだ。

バックヤードと売り場を繋ぐ扉のあたりが怖いらしい。店長が体験した話によると、品出しをしていた時『何か視線を感じるな』と思ってふと見上げると、とてつもなく大きな顔が自分を睨《にら》んでいたそうだ。

この話を聞いた私は、他の店舗でもそういった心霊現象が起こるのか聞き込みをした。すると都内にもうひとつそのようなお店があることがわかり、取材をした。そこでは店の中に黒い影が現れ、監視《かんし》カメラに映ったり、お客様から目撃したと連絡が入ることもあるらしい。

その取材の際、店長から**『幽霊が出るスーパーを見極める方法』**を教えてもらった。

「他の棚は商品が充実しているのに『あれ、なんかこの部分だけ妙に商品が少ないな』というようなところがあれば、幽霊が出る場所の可能性が高いです。うちでは『そこはもう品出ししなくていい』と従業員にいっています。視線を感じたり、背中を引っ張られたり『遊んでー』と声掛けられたり。怖いですから」

通路にはナンバーが割りふられていて『〇番通路は品出ししなくていい』というマニュアルがあるそうだ。

あなたが買い物に行くスーパーの中に、なぜか商品が並んでいない棚があったら、そこは幽霊が出る場所なのかもしれない。

PROFILE
はやせやすひろ
都市伝説やオカルトを取り扱う怪奇《かいき》ユニット『都市ボーイズ』のメンバー。
稲川淳二の怪談グランプリ2017、2019優勝。オカルトスター2015、2017優勝。初代呪物-1グランプリ王者といった経歴を持つ。
YouTubeチャンネル『都市ボーイズ』のチャンネル登録者は約30万人(2023年7月現在)。

『事故物件』については告知のガイドラインが年数も含めてしっかり定められたことで、隠しづらくなりました。しかし事故物件として知られないようにする対策方法もあるのです。

とある強盗殺人事件の現場になったところがあります。犯人が先に殺してから証拠隠滅《しょうこいんめつ》のために火をつけたという事件でした。

その後、焼け崩れた家は解体され更地《さらち》になり、家を建てて売りに出されることに。敷地が広かったため、何軒か家が建てられました。

ここに興味深い事実があります。何軒も新しい家ができたため、全部同じ住所、番地だと配達業者が困ってしまいます。あるいは救急車を呼ぶにしても到着が遅れてしまうかもしれません。全部同じ番地というのは弊害《へいがい》が多いため、番地を新たに割りふることになりました。

このように、事故物件になってしまったあとに敷地を分けるということが、実は全国的に多く行われています。私が殺人事件の現場になってしまった場所を久しぶりに訪れてみると、そうなっていたりします。

なぜそのようなことをするのかというと、例えば、2軒に分けるとします。その内1軒に殺人事件現場が含まれるのであれば、もうひとつの物件は事故物件ではないといい張ることができてしまうからです。

なんと、この方法は不動産業界の一部で『大島てる対策法』と呼ばれていたのです。

あくまでも殺人事件現場の隣の家、隣の土地ということになるため、別に告知義務もないというわけです。「事件が起こったのは隣だから大丈夫です」といえてしまうのです。

それが裁判沙汰《さいばんざた》になった場合に通用するのかはわかりません。しかし、それでなんとかなるだろうと思っている業者が多いのです。

目的地を設定しても、その住所がカーナビに登録されていないことがあります。そういった場合は、カーナビが古い、または**番地が増えているのに登録が間に合っていない可能性**がある。つまり、**番地が分けられた場所の可能性**もあるということなのです……。

二十三話　ゲスト怪談5｜大島てる

PROFILE
大島てる
事故物件情報提供サイト『大島てる』の管理人。
国内はもちろん、海外の事故物件情報も公開されており、サイトへのアクセス数は1日に数十万を超える。
物件の調査で現地に自ら足を運ぶほか、出版物やTV番組などのメディア出演も多数。

3章

この話取扱注意

【ペンネーム：サメもやし】

今から数十年前の話。同級生のAが亡くなりました。突然の訃報《ふほう》に驚きながらも、私と友人たちは葬儀《そうぎ》に参列しましたが違和感を覚える出来事があったのです。Aとは2か月程連絡を取り合っていなかったのですが、間違いなく独身であったはずなのに**葬儀には妻と名乗る誰も見たことのない女性がいた**のです。親しい仲間は皆、首を傾げて不思議に思っていたようで火葬までの間、控室《ひかえしつ》ではその話で持ちきりでした。しかし、控室に妻と名乗る女性が入ってきたためその話は中断されました。そのまま火葬も終わり、その日は帰宅しました。

その1年後に今度は同じ友人グループのBが亡くなりました。今度は近所の沼での溺死《できし》でした。それも水面が膝下くらいの浅いところで……。Bは亡くなる直前に「ボートを買ったので釣りに行かないか？」と私を誘いにきましたが、私は釣りには興味がなかったので誘いを断りました。葬儀の最中そのことを考えて『一緒に行っていれば事故を防ぐことができたのかな？』と後悔しました。

その葬儀が終わるとグループのCが「皆、帰らないでファミレスに集合してくれ」といってきたので我々は近所のファミレスに集合しました。

皆が注目する中、Cは少し戸惑いながら話し始めました。

まず1年前のAの話に戻ります。Aが入院した時に見舞いに行ったそうなのですが病室の前は見るからに怖そうな人たちが塞いでいて、何度行っても面会することはできず、その人たちに威《い》圧的《あってき》なもののいいで追い返されたそうです。

それを不審に思ったCは今回溺死してしまったBと調べて回ったそうです。

その結果、1年前の『Aの妻だといっていた女性』がその怖そうな人たちの中心メンバーの彼女だったこと。そしてAとその女性が入籍《にゅうせき》したのはAの入院中だったことがわかったとのこと。

「もしかして**生命保険や入籍等の準備の間、亡くなったことを隠されてた？**」

と聞くと、Cは「恐らくそうだと思う」と答えました。そして入院していると思われる部屋は空だったはずだと彼はいいました。

「そんなの病院がグルじゃなきゃ無理じゃない？」

彼は静かに頷《うなず》きました。この日本でそんなことが？　と思っているとさらにCはこういいました。

「今回亡くなったBはたぶん殺されたんだ……1年前の〝Aの妻だっていってた女〟に『調べはついている』といった直後のことだったし、これ以上調べるなって警告《けいこく》なのかも……」

確かにあんなに浅いところで溺死していたのは腑《ふ》に落ちないところもあるし、1年前のAの死とあわせて考えるとあり得ないことではないと思いました。

なぜこのタイミングでCはこの話をしたのか、と尋ねると……。

「この話を知っているの俺だけだからさ、次狙われるとしたら俺しかいなくなっちゃうじゃん？」

その場の全員から非難の嵐でした。

先程まで釣りに一緒に行ってあげていればと思っていましたが、もしも一緒に行っていたら……。その後は誰もその件を調べることもなく犠牲者《ぎせいしゃ》も出ていません。

かなり昔の話ですが、**このまま闇に消してしまっては友人たちも浮かばれない**ので話をさせていただきました。

たっくー深読み考察

この話取扱注意

まさに“表に出せないゾッとする話”だ。

なぜ病院もグルではないとできないのか？

なんらかの病で亡くなった場合でも、その場所が病院以外であれば警察による検視が行われる可能性がある。

ただ、亡くなった場所が入院している病院であれば、死因が警察に詳しく調べられることは普通はないだろう。つまり、この話にも書いてある通りこれは病院もグルでないと不可能な話である。

こんなぶっ飛んだことがまかり通る世の中には決してなってほしくないものだが、闇は根深い。

この日本において、令和に入っても死亡診断書の虚偽記載《きょぎきさい》で逮捕される事件は発生している。

過去には『殺害後に死亡診断書を偽《いつわ》り逮捕され、後に医師免許さえも不正取得していた』というとんでもない事件も起きている。

これらの事件を踏まえると、人の命を助けることができる者は、命を奪うことも奪い方を作り上げることもできるのかもしれない。

もちろん殆どの医師は善人であろう。

しかし医師だけではなく、警察でさえもその職務を利用した犯罪が残念ながら発生している。

これは社会の闇というより“人間の心の闇を利用した犯罪”だといえるのではないだろうか。

本来は表に出せない話ほど表に出して暴いていく必要があるのかもしれない。

必要なのは覚悟だけではないだろうか。

二十五話

行かないんだ

【ペンネーム：かねしん】

これは俺が高校1年生の夏に体験した話だ。

実家から自転車で30分程の山に森林公園があり、友人と二人でサイクリングに行くことになった。

現地ではロードバイクを借りてサイクリングをすることができたため、行きは通学用のママチャリを頑張って漕いで、汗だくになりながらも森林公園に着き、ロードバイク貸し出しの受付を済ませてサイクリングを始めた。

初めてのロードバイクでテンションも上がり、二人で頂上まで行ってみようという流れになった。

しかし、途中から草木が生《お》い茂《しげ》り始め、舗装《ほそう》されたアスファルトが途切れ、**そこには〝立入禁止〟の看板が**。だが俺たちは5歳からの幼馴染で、野遊びのプロフェッショナルと自負している高校生である。看板を無視して強行突破することにした。

ガタガタの道を進んでいくと、そこにはショベルカーがあり、二人の高齢の男性作業員がいた。『立入禁止は工事中だからか』と思い、ロードバイクを降り、手で押しながら二人の作業員の横を会釈《えしゃく》しながら通り過ぎる。向こうも会釈してくれたため、優しそうな人で良かったと安堵した。

この先は通り抜けられるのかを知りたかった俺は、この二人に聞いてみることにした。

「お仕事中すみません、この先って通り抜けできますか？」

「行けるよ」

お礼をいい、ロードバイクにまたがり進んだ。しかし、先を走っていた友人が突然止まった。

「おい、どうしたんだよ」

「前、見てみろよ」

見ると、そこは断崖絶壁《だんがいぜっぺき》。間違いなく、落ちたら即死《そくし》だろう。

なぜ、あの人たちは「行けるよ」なんていったんだろう。**一気に鳥肌が立った。**

「引き返そう」

俺たちは急ぎ足でロードバイクを押しながら、きた道を引き返した。工事現場をすぐにでも通り過ぎて、人のいる場所に行きたかった。

そして工事現場まで引き返し、あの二人の作業員の横を通り過ぎた。

『よかった。何もいわれなかった……』

そう思っていた時だった。

「行かないんだ」

俺たちはふり向かず走って逃げた。無我夢中でロードバイクを漕いだと思う。受付の人に工事現場のことを聞いてみると、工事などはやっていないとのことだった。また戻って確認する度胸もない俺たちは急いで通学用ママチャリにまたがって森林公園を後にした。

家に帰り森林公園について調べてみたら、〝見事に〟心霊スポットであった。

〝立入禁止〟には様々な意味が込められているのだと知った高校1年生の夏であった。

たっくー深読み考察

行かないんだ

なぜ『立入禁止』だったのか？　そこにすべてが詰まった怪談である。

立入禁止で思い出したのだが、この日本には他の警戒標識《けいかいひょうしき》で表示できないなどの場合、通行上注意が必要な箇所に設置するとされている『その他の危険』の標識がある。

下に補助標識として理由が書いてあることが殆どなのだが、中には何も書いていない場所も実在している。詳しくはこの『その他の危険』を解説した私の動画をご覧いただきたいのだが、そんな場所にはこんな噂《うわさ》がある。

『なぜか事故が多発する場所』

チャンネルでその他の危険に関する動画を上げた際に視聴してくださった、関東在住の塾講師Ａさんがこんな話を投稿してくれた。その他の危険の標識のあるカーブ地点での話だ。

その場所は関東にある緩やかなふたつのカーブがある山道なのだが、見通しも良くスピードを出しすぎない限り、事故が起こるような場所ではなかったそうだ。

バイクを趣味としていたＡさんは頻繁にこの場所を通っており『何が危険なんだろう』と思っていた。しかしある日、その理由を知ることになる。

その日は夜遅くにこのカーブを通ったそう。ひとつめのカーブの後半、落としたスピードを少し上げる。カーブの基本である。

そしてふたつめ、スピードをまた十分に落とす……スロットルが戻らないのだ。

目をやると自分の手の上に覆いかぶさるようにグローブをつけた手があったのだという。

対向車線にはみ出しながら、なんとか曲がることはできたそうだが、あの時、対向車がきていたら、間違いなく衝突していたとＡさんは話す。

投稿者の話も、Ａさんの話も、どちらも死んでいたら明らかになっていなかった。

死人に口なし、忠告もなし、なのだ。

改めて読者にも忠告する。

『立入禁止』には何があっても入ってはいけない。

納骨

【ペンネーム：ヒロピー】

これは二十数年前、私が納骨の仕事をしていた時に体験した不思議な出来事です。

その日は7月のとても暑い真夏日でした。

お寺に到着し、住職に本日納骨するお墓の場所を聞きに行くと、住職から亡くなった方のお話を聞くことができました。亡くなった方は小学1年生の少年で、自転車に乗っていた時に左折するトラックに巻き込まれ、事故に遭《あ》ってしまったそうです。少年は母子家庭の一人っ子でした。葬儀、告別式、火葬場でこの住職がお経を上げている時には母親は泣き崩れ、衰弱《すいじゃく》しきった姿は痛々しく、悲しくて見ていられなかったそうです。

住職に納骨するお墓まで案内され、真夏の太陽に照らされて汗だくになりながらお墓の掃除をし、納骨する準備を整えていました。母親と親戚一同は予定より30分程早く到着しました。本堂で唱えるお経と木魚の音が墓地内に響き渡る中、周りの鳥のさえずりやセミの声がだんだんと消えていきました。10年近く納骨に携《たずさ》わってきましたが、こんなにも静まり返った中でお経を聞いたことはありませんでした。お経に混じって母親の泣く声が墓地まで聞こえてきました。お子さんを亡くした辛い気持ちが私にまで伝わってきました。

本堂でのお経が終わり、お墓の前に住職、喪主《もしゅ》の母親、親戚一同が揃い、私が骨壷《こつつぼ》を預かりました。とても軽い骨壷だったのを今でもはっきり覚えています。預かった骨壷一式を置き、周りの白い布を解き、木箱から骨壷を出そうとした時にそれは起こりました。

「お……は……す……、……お……か……さ……ん、おかあ……さん……、おかあさん……」

骨壷の中からかすれたような子どもの声が聞こえてきたのです。住職と目を合わせ、

「ん？　今の聞こえましたか？」

と聞くとゆっくり頷く住職。後ろにいるご遺族のほうを見ると数人が声に気づいたようで、びっくりした顔の人や口をあんぐり開けている人、母親は大粒の涙をボロボロと流しながら大声で泣き叫び、その場に崩れ落ちてしまいました。

次の瞬間、住職が突然鈴を大きく鳴らしながら怒鳴るような大声でお経を唱え始め、

「骨壷を納めてください」

と私にいいました。驚きと緊張でブルブルと震える手で骨壷を納め、石の蓋《ふた》を持ち上げて閉じ

ようとした瞬間、中から子どもの声が！

「ヤダ！　ヤダ！　ヤダ！　ヤダ！　一緒がいい！　一緒がいい！　おかあさん!!　ヤダ!!　うわ〜〜〜!!　ヤダ!!　おかあさん!!　一緒がいい!!」

私は体が固まり涙が溢れ、声まで上げて泣き出してしまいました。どうしていいのかわからずふり返ると、住職、母親、親戚一同が涙を流し大声で泣いていました。住職が震える泣き声混じりのお経を唱えながら何かボソボソと話し出しました。私には子どもと会話をしているように見えました。

その後住職は、また大声でお経を唱え始めました。住職の頬には涙が流れていました。子どもの声はだんだんと小さくなっていき、いつしかお経しか聞こえなくなりました。ほどなくして重い石の蓋をのせて閉じました。いつもの納骨では15分程で終了するお経ですが、その日は汗だくになりながら1時間近くお経を唱えていました。真っ赤になった住職の顔には涙が混じった汗が水浴びでもしたかのように流れていました。

お経が終了すると上空には大きく真っ黒な雲が流れ込み、雷鳴《らいめい》が響き渡り突風が吹き荒れ大粒の雨が突然降ってきました。一気に空気が冷え、雨音で周囲の音が聞こえなくなりました。墓地内の通路は一瞬で川のようになり、みんなで逃げるように本堂方面に急ぎました。遺族の方々は本堂内に案内され、お茶を飲みながら雨が止むのを待っていました。

私が本堂脇の休憩所で休んでいると、住職が現れ、こんなことをいいました。

「母親の顔色が悪かったが、何もなければいいんだがね……」

本堂方面を見る住職は物悲しい表情を見せていました。住職の目線を追うと、そこには母親の姿が。疲れ切って座り込む母親の顔だけが青黒く、どこかぼやけたように見えました。

それから2週間後の日曜日にまたこのお寺の納骨に行くことになりました。

私が納骨したのは、あの母親でした。

亡くなった経緯は聞きませんでした。鳥のさえずりやセミの声が響く墓地で、子どもの骨壷の横に母親の骨壷をピタリと並べて置いてあげました。

あの世や来世があるなら、次こそ幸せに暮らしてほしいと願っています。合掌《がっしょう》。

たっくー深読み考察

納骨

非常に胸が痛くなる話だ。

私はまだ家族を失う悲しみを経験したことがない。しかしいつかはその時がくる。私はその現実を受け止めることができるだろうか。そんなことを、物心がついた頃からふとした瞬間に考えることがある。この投稿を読んでいる今もだ。

大切な人を亡くすことは人生において最大の悲しみだといえるだろう。

確かなことは、そんな悲しみを自分の親や兄弟には経験してほしくないということだ。

仏教では『賽《さい》の河原《かわら》地蔵和讃《じぞうわさん》』という教えがあり、子が親よりも先に死ぬと、三途の川のほとりにあるとされる『賽の河原』で、親の悲しみが消えるまで石を積み続けなければならないとされている。しかし、いずれ子どもたちの前には地蔵菩薩《じぞうぼさつ》が現れ「私を冥途《めいど》での親だと思いなさい」といって抱きしめる。そして成仏することができる、というものだ。これを聞くと少し安心する。

ただこの『賽の河原地蔵和讃』にはこんな意味が込められているのではないかと私は思う。

『注意して生きなさい』ということだ。

若い時は、怖いもの知らずで危険な遊びをしてみたり、車やバイクなどでスピードを出しすぎてしまったりする人も少なくはないだろう。そういった行為が命の危険に繋がることもある。

貴方の命は貴方だけのものではない。『賽の河原地蔵和讃』は子どもにそう自覚させるためのいい伝えのようにも私は感じてしまう。それだけ大切な人を亡くす悲しみは大きいのだ。

あの世や来世があるなら次こそ幸せに暮らしてほしい。投稿者と全く同じ気持ちである。

合掌。

二十七話

私の好きな人

【ペンネーム：ラヴちゃん】

私は、極度の恋愛体質で、彼氏ができればとにかく一途に愛して彼氏中心の生活になります。

学生の時、同じ学校の人とつき合うことになり、その彼が本当に大好きで『この人となら一生をともにしたい』と思えるほど熱を上げていました。

しかし、2年後にその人と別れることになり、私はショックのあまり謎の高熱が出て、入院するほど体調を崩しました。原因はわかりませんでしたが、3日程で熱は下がり、すぐ退院しました。しかし、退院後も体のだるさなどは残っており、家族や友人にも心配をかけていました。

そんな時、友人が「当たると噂の占い師のところで体調不良の原因を占ってもらおう」といい、恋占いも得意な占い師を探してくれました。

占い師のところに到着し、体調不良の原因を占ってほしいとお願いすると、占い師がいきなり「あなた、呪いたくなるほど恨んでいる人がいるの？」といってきました。

「誰かを呪ったこともないし、呪いたいと思う人もいない」というと、

「あなたは一人の人間にとても執着していて、それこそ呪いに近い思いをぶつけています。それくらい、強い思いを持っている人に心当たりはありますか？」

と聞いてきました。私が、最近別れた人のことがすごく好きで今でも忘れられないということを伝えると、占い師はとんでもないことをいってきました。

要約すると、私の思いの強さが呪いのような形になって、元カレを呪っている。それも、私自身の生命力を削るほどに強い呪いをぶつけている。そのせいで謎の体調不良が続いているのだろう。過去につき合ってきた人にも同じことをしているはずだから、その人たちにもなんらかの不幸が訪れているはず、とのことでした。最後に占い師に、

「最近別れた彼、相当熱を上げていたみたいだけど……今もご存命《ぞんめい》なの？　何かしらあったと思う。その彼のためにも、今後出会う人のためにも、恋愛することをやめてみたほうがいいわ」

と、とんでもないことをいわれました。

後日確認したところ、別れた元カレは事故で半身不随《はんしんふずい》になり、大学をやめていたことがわかりました。また、これまでつき合ってきた人たちも、**私と別れたあとに事故に遭ったり体調を崩したりするなど不幸なことが起こっていた**こともわかり、怖くなりました。

誓《ちか》って、私は相手を呪ってなんかいません。ただただ好きで、愛していただけです。

占い師にいわれた言葉を気にして、しばらく恋愛することはやめていましたが、去年入籍することとなりました。相手は半身不随になった彼です。数年お見舞いに通い、無事結婚することができました。私はこれからもずっと、死ぬまで彼を支え、幸せな家庭を築いていこうと思います。

以上、〝私が〟怖い話でした。

たっくーさん、これからも応援しています。

大好きです。

たっくー深読み考察

私の好きな人

ありがとうございます。とはいえないオチだろうが。自虐《じぎゃく》とブラックジョークが同時に存在する作品を私は初めて読んだかもしれない。

結果的にハッピーエンド風にはなっているのだが『投稿者本人が怖い』類の話は文章であっても破壊力を感じる。

そしてこの話、少し異質ではないか？

なぜなら生霊の話ではなく呪いとしか思えないからだ。

相手への想いが強く、恋愛などにおいて執着してしまう人は無自覚で生霊を飛ばしてしまうといわれている。

生霊にはふたつのパターンがある。

ひとつは負のパワーを持ち、相手の精神を削って共倒れを起こすもの。

そしてもうひとつは、反対に明るい気持ちで相手を想った時に取り憑く、良いとされている生霊だ。

この投稿者がいうように『ただ愛していただけ』ならば生霊を飛ばしていたのだと考えられるが、占い師の方は『呪いのようなもの』と表現した。とはいえ、呪い自体も災厄《さいやく》や不幸を与える側面はあるが、相手を強く想うことには変わりない。

どちらも似てはいるのだが、私は『愛していただけ』が『呪い』になることはないと考える。なぜなら『呪い』とは漢字の通り“口”に出すことで言霊となり具現化していくといわれているからだ。

投稿者は別れ際こういったのではないだろうか……。

『どこにも行かないで』

その言葉と強い想いが呪いとなってしまったのではないだろうか。

無意識に相手を呪うって簡単でしょ？

返す方法はきっとこれだ。

僕も貴女のことを応援してます！　大好きです！

全く同じことをすればいいのだ。

二十八話

私だけの思い出

【ペンネーム：みずきち】

私が大学2年生の時の話です。バイトが終わり、夜の10時過ぎ、久しぶりに中学の同級生Aから電話がきました。

「同級生三人（男）で今話してて、連絡してみよー！　ってなって電話したんやけど、暇やったら夜景見に行かん？」との誘いでした。

金曜日で次の日が休みだったこともあり、Aの車で地元で有名な夜景スポットに行きました。車の中はAが運転席でBが助手席。Cが助手席の後ろ、私が運転席の後ろに座っていました。Cは「疲れたから着いたら起こしてー」とすぐ寝てしまい、私はAとBの間に顔を出して話をしていました。

カーブが続く中、Bが車の中のCDを見ている時に急カーブで曲がった瞬間、道の端を真っ赤なドレスを着た女性と黒色のタキシードを着た肩まで髪の毛のあるセンター分けの男性が腕を組んで歩いているのが見えました。映画でありそうな舞踏会《ぶとうかい》に行くような格好でしたが、二人とも目に生気がなく異様に顔が青白い。

ハイビームだったこともありすごく鮮明《せんめい》に見えて、Aと私が「**うわぁぁぁ!!**」と叫びました。すぐにルームミラーから後ろを見ても二人は見当たらずAと私は「えっ、今の何!?」と再び叫びました。

助手席のBと、私の隣で寝ていたCは、私たちの声にびっくりして「どうしたん!?」と聞いてきたのでAと説明しました。しかし二人は見ていないからかあまり興味がなさそうで「木がそう見えたんちゃう?」といってきました。見間違いだったら、私とAが同じものを見るはずがありません。夜景スポットに着くまで、Aと私は恐怖で何もいえませんでした。

目的地に到着し、夜景だけの写真を何枚か各々の携帯で撮ってから車に戻り、Aも私も途中で見た二人の話はせず、近況報告などをしながら帰りました。

その約1か月後……。

Aから電話がきて「久しぶりに飲もうや!」と誘われ飲みに行くと、一緒に夜景スポットに行ったBとCも待っていました。

たわいもない話をしたあと私が、

「この間、夜景を見に行った時、あの男の人と女の人怖かったなぁ」

というと三人が「夜景？」とポカンとしていました。

私を怖がらせようとしているのだと思い「もうほんまにやめて？　先月夜景、見に行ったやん」

というと、

「誰が？」

と三人は理解できていない様子。「このメンバーで！」と私がいうとAは「いやいや、このメンバーで最後に会ったん、高校の時やろ？」というのです。しかもそれが冗談でいっているようには見えませんでした。

急いで私が携帯の写真のアルバムから夜景の写真を見せて「みんなも撮ってたやろ？」といいましたが**誰一人、携帯に夜景の写真はありませんでした。**

私の撮った写真は明らかにこのメンバーと行った日の日付。私は誰と夜景を見に行き、何を見たのでしょうか。友達には「こんなオチもちゃんとある話、嘘っぽいって！」といわれますが本当の話です。

あれから数年が経ち、結婚をして街を離れましたが、実家に帰る度にあの日のことを思い出し、夜景スポットに近寄ることもできなくなりました。

皆で行った夜景スポットが、知らない間に私だけの思い出になってしまいました。

たっくー深読み考察

私だけの思い出

自分だけの記憶があるだけではなく、その証拠もあるというのは恐ろしい。

一体、投稿者は誰と一緒にいたのだろうか。様々な考察ができる。

そもそも連絡をしてきたのは友人なのだが、誰も覚えていないとなると可能性としては『パラレルワールド』が挙げられる。

パラレルワールドとは、今、貴方が存在している世界と並行して存在する別の世界のことである。

わかりやすくいうと『貴方がこの本を買わなかった別の世界』があるという考え方だ。

『買おうとしたけれど買わずにナナフシギさんの本を買った世界』など、その数は無限に存在するといわれている。

よってタイムマシンが発明され、10年前の過去に行き何かを変えたとしても『新たな並行世界が誕生するだけで未来は変わらない』という考え方もある。

ではなぜ『夜景を見に行った世界の投稿者』と『夜景を見に行かなかった世界の友達』が同じ世界に存在しているのか？

これこそが、この世界は何者かによって作られた仮想空間だという根拠である。

仮想空間だとすれば“バグ”が発生しているという単純な理由で片づけることができる。

恐らく今回の夜景の件で日本パラレルワールド支部の部長はこのバグのせいで首が飛んだだろう。

もしこの四人が『再会する』という運命が決まっていたとすれば『夜景に行って再会』『飲みに行って再会』というふたつの世界を投稿者は経験したということではないだろうか。

ただ、ひとつだけお忘れではないだろうか。タキシードを着た男性の幽霊とドレスを着た女性の幽霊だ。もしあの幽霊に会うことが運命で決まっていたとするなら、夜景を見に行かなかった世界のあなたのもとにも、そろそろ現れる頃ではないだろうか。

それが眠っている時ではないことを願っている。

二十九話

心霊写真を供養しないといけない理由

【ペンネーム：お狐どろろん】

夏休みに祖母の家に1か月程泊まることになりました。お盆《ぼん》の送り火を終えたあと、何気なく祖父の部屋に立ち寄りました。祖父は私が中学生の頃に亡くなったのですが、遺品整理が進んでおらず、部屋は数年前から時間が止まっているかのようでした。私は遺品を少し漁ってみることにしました。趣味の釣具がほとんどだったので女子高生の私は退屈に思いました。

遺品漁りに飽き始めた頃、紙袋に入った写真を見つけました。

開けてみると、祖父や祖母の若い頃や、母の幼い頃など数百枚の写真が入っていました。見慣れない昔の風景にわくわくしながら写真を見ていると、ふと1枚の写真が目に入りました。その写真は若い頃の祖父と祖父の友達が樹海のような場所で撮った写真でした。とても楽しそうな表情を浮かべていた写真の中の人物よりも、その写真の背景に目を見張りました。樹海の木々の隙間から黒い女性と思しき影が覗いているのです。初めて心霊写真を見つけ興奮した私は、その写真をスマートフォンで撮影し、学校で親しい友達とのグループＬＩＮＥに写真を共有しました。

グループLINEでは『すごい！ 心霊写真だ……』『女の人？ めっちゃ怖い』『てかどこで写真撮ってんの⁉ 樹海？』などと盛り上がりをみせていましたが、グループの一人のAが私に電話をかけてきました。

「その写真、お焚《た》き上《あ》げして捨てたほうがいい」

「え、なんで？」

「それ、樹海で撮った写真でしょ。樹海ってどんな場所か知ってんの？」

「まあ、なんとなく」

「その後ろの女の人もたぶん自ら命を絶ってるし、手前の男の人たちのことをそれなりに怨みを込めた目で見てるから、悪いことはいわないから、とにかく早く捨てて」

「でも害があるとは限らないじゃん。なんで？」

「……その女の人、だんだん男の人たちに近づいてくるよ」

Aの家はお寺で、不思議な体験をしていると頻繁に聞いていたので説得力がありました。

しかし心霊写真への好奇心が抑《おさ》えられなかった私は、その写真の女の人の影が本当に近づいてくるのか試してみたくなり、紙袋から写真を出すと祖父のレコードがしまってある棚の中に、レコードの下敷きになるようにしまいました。

3日後、写真を見に行くと、確かに**写真の影は祖父たちのすぐ後ろまで迫っていきていました。**Aの話は本当だったのかと、とても興奮したのと同時に、さらに時間が経てば影がもっと迫ってくるのではと考えました。

そして祖母の家を離れる当日。私はまたあの写真を見に行きました。写真を見ようとレコードの棚を漁りましたが、写真がどこにもありません。捨てられてしまったのかなと思い、肩を落として部屋から離れようとすると押し入れからガタッと音がしました。ネズミでもいるのかと思い開けてみると、そこには祖父が使っていた布団がしまわれているのみでした。

気のせいかと押し入れを閉めようとすると、1枚の紙が落ちてきました。あの写真です。拾ってみると、写真は樹海の背景を写真の端に残したまま真っ黒になっていました。写真の保管方法が悪かったのかな、と残念に感じたあと、紙袋の中に写真を戻し祖母の家から離れました。

それから半年後、祖母から電話がかかってきました。祖母の体調が良くないこと、そして2階から1日中物音がしているとの話でした。父は、家も古いし経年劣化なのか害獣でも潜んでいるのか、と電話で話をしていましたが『あの写真が原因だ』と咄嗟に思いました。

両親に祖母が心配だからと理由をつけ、祖母の家へ写真の所在を確かめに行くことにしました。祖母に話を聞くと、1日中バタッと何か倒れたような音と棚を閉める音が2階からしている。きっと祖父の部屋からだろうけれども不気味で2階に上がれないとのことでした。こうなったのも自分に責任があると感じ、祖父の部屋へ向かいました。

祖父の部屋の扉を開けると、とてつもない悪臭《あくしゅう》が鼻をつきました。肉が腐ったような臭《にお》いです。とにかく写真を見つけようと思い、紙袋を漁りました。ところが写真はありません。

焦りを感じ、尋常じゃないほど汗をかきながら写真を探していると押し入れから**ガタガタガタガタガタガタ**と物凄い音がしました。叫びたくなるのを抑え、勢いよく押し入れを開けました。押し入れから腐乱臭《ふらんしゅう》のような強い臭いがして吐きそうになりましたが、布団をすべて出したうえでくまなく探しました。

その時、**ドンドン、ドンドンドンドン**と何かを叩くような音がしました。押し入れの上の屋根裏からです。震える手で押し入れの天井を開けました。悪臭の中、紙が落ちていました。あの写真です。拾おうと手を伸ばしましたが、その時ある異変に気がつきました。その悪臭は写真からしていること。そして**その写真に大量のハエとウジが集まっていた**のです。屋根裏から飛び出し、すぐに祖母の元へ向かいました。これまでのことを祖母にすべて話すと、祖母は私の話を疑うことなく御札を数枚用意しました。御札は翌日貼ることにして、その日は祖母の家に泊まることになりました。聞いていた通り夜中に2階から壁を叩く音、棚を何度も閉めるような音が一晩中していて眠れませんでした。

翌日の早朝、私は御札を貼りに祖父の部屋に向かいました。悪臭は収まっていて、音もまるでしていません。あの写真を拾うためもう一度屋根裏に入りましたが、なんと写真はなくなっていました。仕方なく屋根裏の入口や部屋の入口に御札を貼り、部屋を出ようとしました。もしかしたら紙袋の中に写真が入っているかもしれないと思いタンスの中の紙袋を探しました。

やはりその写真はありませんが、紙袋の下敷きになっているある写真に気がつきました。それは数年前の夏休みにも見た、若い頃の祖母の写真でした。それを見て、私はあることに気がつきました。

あの樹海の写真の背景にいた女の人の黒い影が背景に写っていたのです。急いでその写真を祖母に報告し、お寺でお焚き上げをしました。

現在も女の人の影が他の写真に移ってしまう現象は収まっておらず、祖母の写真に移ってしまいます。祖父の部屋の音は鳴り止みましたが、写真は見つける度にお焚き上げをしています。

心霊写真は、きちんと供養したほうがいいなと思った体験談です。

たっくー深読み考察

心霊写真を
供養しないといけない理由

私は以前、心霊写真を集めることが大好きだった。

一時期はスマホに心霊写真フォルダを作り、リスナーさんから寄せられた300枚以上の写真を持っていたくらいだ。自撮りの数よりも多かったと思う。

しかし大先輩である大赤見ノヴさんのある一言で、考えを改めた。

ノヴさんはこういった。

「殆どは何もない。ただ、それだけの数を持っていると運気が下がる」

これを聞いて私は即消去した。

なんの躊躇《ためら》いもなく全消去だ。こう見えても『運』の類に関しては慎重なタイプなのだ。ついでに連絡を取っていないLINEの知り合いを消していったら残った友だちは30人になってしまった。これは私が悪い。

話を戻して心霊写真なのだが、その大半は『レンズのボケ』や『ガラスの反射』などが原因であることが多いようだ。

また、シミュラクラ現象といって３つの点が集まった図形を見ると、人の顔と認識しようとする脳の働きによって霊に見えてしまうこともある。

よって“本物の心霊写真”は実は非常に少ない、といわれている。

だが本物の心霊写真の中には危険なものも存在している。それはこの話の中にもある『動く心霊写真』である。

なぜ動くのか？

それは写真を見ている貴方をターゲットにしているからだと私は推測する。

また、動く心霊写真の中でも『目が合う』というものがある。これは撮影者ではなく、写真を見ている人に何かを訴え掛けてきているのだ。

一方、写真に写っている人の足が消えていると、大半の人がその人を心配するだろう。しかし、心配するべきなのはその人ではない。

私は霊能者が『本物』と口を揃える写真を１枚だけ持っている。

その写真を霊能者に見せると、必ずこういう。

「撮影者はご存命ですか？」

動く心霊写真には十分に注意してほしい。

三十話

別れ

【ペンネーム：まおん】

初めておつき合いした彼とのことです。つき合って3年が経ち、結婚の話が出るようになり、準備を進めようとしていた時でした。彼のことは家族や友達にも紹介しており、私の周囲の人たちは彼の顔や乗っている車などを知っていました。

ある日、家族や友人から不思議なことをいわれるようになりました。彼と車ですれ違うと、私ではない女の人が助手席にいるというのです。見かけた人は皆、彼も助手席の女もどこか違和感があったといいます。私は彼のことを浮気をするような人ではないと信じていたのと、仕事が激務だったため、彼に問いただすこともせずにいました。

ある日彼と買い物に行き、荷物を持った彼を家の前で降ろし、私が駐車場に向かう時に、驚いて急ブレーキを踏みました。彼の後ろに、**黒髪ロングでウェーブがかかった女が立っていて、私を睨みつけていた**のです。そして、彼の目はどこを見ているのか虚ろだったので、私は慌てて車から降り、彼の肩を揺さぶりました。女は相変わらず睨みつけていましたがかまわずに、彼の頬を叩くと女は消えて彼も正気を取り戻しました。

怖くなった私は彼に塩を撒いたり、思いつく限りの除霊をしました。

ひと月程経ち、そんなことも忘れた月曜日の朝、彼から週末に指輪を買いに行こうといわれました。とても嬉しくなった私は『1週間、仕事頑張ろう！』と張り切ったのですが、木曜日の夜に熱が出て寝込んでしまいました。彼は夜勤で家にはおらず、一人で過ごすのも辛いため近くの実家に泊まり、家族に看病してもらっていました。

翌日は仕事を休んで、彼が夜に迎えにくる段取りになっていたため、実家で療養していたところ、夕方4時半頃に知らない番号から着信がありました。出てみると警察からでした。電話の内容は、彼が遺体で発見された、ということでした。信じられず何度も聞きましたが、事件性はないので自殺の可能性が高いということしか繰り返されず、私は急いで彼の実家に行きました。

彼のお母さんは「本当よ。ごめんね」としかいわず、玄関前で泣き崩れる私にずっと謝り続けていました。

葬儀、通夜は淡々と進み、初七日《しょなのか》の時、私はふと女の霊を思い出しました。知り合いのツテで霊視をしている方にアポを取り、**いざ会った瞬間にいわれたことに鳥肌が立ちました。**

「黒髪で髪の長さはロング、ウェーブがかかっていて物凄く睨みつけている女が視える」

私は恐怖で思わず泣いてしまいました。霊視の人がいうには、私に直接取り憑いているわけではなく、私を心配する彼に取り憑いているとのことでした。彼は死んでもなお、その女に呪われていると知り、どうしたら彼を救えるのか尋ねると、

「この女は代々彼の家の人間を呪い殺してきた。結婚して彼と家族になった瞬間にあなたもターゲットにされていた。彼を救うことはできないけど、あなただけなら救うことはできる」

といわれました。私が助かる条件は『彼の家と訣別《けつべつ》すること』だそうです。今後一切、彼の家に近づかないこと、もちろんお墓参りもしてはダメといわれました。私は悩みましたが、彼と最後の別れを決意し四十九日もお参りせず、今こうして生きています。

正直、彼のあとを追うことを考えていましたが、あの女の呪縛《じゅばく》を恐れて逃げてしまいました。家族や友人が見たという助手席の女の特徴をあとから聞いてみると、口を揃えて、黒髪ロングのウェーブがかかった女だった、といいます。

霊感のない人たちにも視えるような呪いをかけられている彼の家族は一体、何をしたのでしょうか？

たっくー深読み考察

別れ

上巻にも一族が呪われた話が登場したのだが、最強の呪いは一族が滅亡《めつぼう》するまで効力を持ち続ける。

この話の呪いもそのひとつだろう。

厄介なのが一族を滅ぼすことを目的としていて、その一族になろうとする者や近づこうとする者にまで危害が及ぶことだ。

度々登場するこれらの“呪い”なのだが、ふと『いつから存在していたのだろう？』と気になった。

調べてみると、日本最古の呪いは日本神話に登場する神の『イザナミ』が使ったとされている。

日本神話は『古事記』や『日本書紀』などに記された神代の物語を中軸としていて、完成が8世紀前半といわれている。

記録には夫であった『イザナギ』に使用したとされている。ざっくりと内容を紹介する。

イザナミが亡くなった際、イザナギは黄泉《よみ》の国まで行き、扉の向こうにいたイザナミに「帰ってこい」と声を掛ける。イザナミは「神様に聞いてみるから、覗かないでね」と約束を交わす。でもイザナギは覗いてしまう。するとそこにいたのは、恐ろしい姿になってしまったイザナミ。

それを見たイザナギは、なんと……逃走するのだ。逃げるだけならまだしも黄泉の国を封鎖し、二度とイザナミが地上に降りられないようにしたのだ。

これにイザナミがブチギレた。

「もういい。地上の人間を毎日1000人殺す」

と宣言。この言葉が、日本最古の呪いになったらしい。

あの時、イザナギが約束さえ守っていれば、こんなことにはなっていなかったのかもしれない。

地上では毎日1000人が命を落とした。イザナギはどうしたのか？

毎日1500人が生まれるようにしたのだ。

待て。普通に謝れ。

最古の呪いも本人だけではなく、本人の周りをも巻き込もうという身勝手ぶりなのだ。もしかすると謝罪《しゃざい》さえすれば、呪いは解けるのかもしれない。

呪われる心当たりがある人は参考にしてほしい。

雨の中のお散歩

【ペンネーム：天音うた】

私は沖縄県の小さな島で生まれ育ちました。そんな私が高校生だった時の話です。

当時私は、遠く離れた高校に通っていたので、両親どちらかに車で送迎してもらっていました。

それは暑い夏の日でした。学校行事があり、昼休みに学校から市民会館へ移動する必要があったため、折りたたみ自転車を車に乗せて登校しました。

午前中の授業を終え、市民会館へ向かいました。行事が終わり、携帯電話でいつも通り親へ電話して迎えをお願いするつもりでしたが、ふと『天気いいし、自転車で帰ろうかな』と思い、意気揚々《きようよう》と自宅へ向かってペダルを踏みました。

家まであと5キロ程となった時、目の前に分厚く暗い雲が迫っていることに気がつきました。

『ヤバい、スコールがくる』と思ったのも束の間、急に周りが暗くなり、ザーっと強い雨が降ってきたため、携帯電話を取り出し母親を呼び出しました。

「自転車で帰ろうとしたわけ？　どうせ濡れているなら、迎えに行くまで歩いておけなー」

と母。私は自宅へ向かって歩くことにしました。すると、雨の中、青いカッパを着たおじいちゃんと、黄色いカッパを着た3歳くらいの小さな子が前から歩いてくるのが見えました。

『こんな雨の中、お散歩？』と疑問に思い様子を見ていると、おじいちゃんと目が合いました。

「あ、こんにちは。雨の中お散歩ですか？」

気まずさから、私から声を掛けました。

「こんにちは。あんたもずぶ濡れだねぇ」

「あはは……降られちゃいました……。一緒にいるのはお孫さんですか？」

『孫』という言葉を口にした途端、おじいちゃんの顔色が変わりました。

「……あんた、ユタか？　**何が視えてる？**」

ユタというのは、沖縄の霊媒師のことです。私はなぜそんなことをいわれるのかわからずに、キョトンとしてしまいました。

「あの……黄色いカッパを着た……小さい子が……」

そこで私は気づきました。一緒に歩いていたはずの小さな子がいなくなっていたのです。辺りを見回すと、おじいちゃんが肩をポンと叩いて私を見ました。その顔は、泣き笑いの顔でした。

「実はさ、今日孫の命日なわけよ。だから、いつも孫と散歩してた道を歩いていたわけ。雨でも、歩きたかったわけ。だから、今あんたに会えて良かったよ。孫、一緒にきてたんだねぇ……」

涙ぐみながら私にそう教えてくれました。私は雨に打たれている寒さとは違う、悪寒を感じていました。なぜなら一緒にいた小さい子は、私とおじいちゃんが話す直前まで、

「おじいちゃん、さみしいよ、いっしょにいこう」

といっていたからです。最初は雨なので、寒いから早く帰りたいのだと思っていましたが、あの子はおじいちゃんを一緒に連れて〝逝きたい〟のだとわかりました。

「そうだったのですね！　お悔やみ申し上げます。では急いでいますので！」

ここにいてはヤバい、そう思って自転車を押しながらダッシュしました。

しばらくすると、自転車に何か重いものが乗っているような、そんな感覚がありました。鳥肌が立ち、自転車を手放したい気持ち、自転車を見たい気持ちを抑えながら、ひたすら自宅に向かいました。すると、見覚えのある車が目の前に現れました。

「お前は！　何乗せてるか!!」

私を見た途端、車から顔を出して叫んだ母が、車を路肩に寄せて走ってきます。その手には以前、祖母に「乗せておきなさい」といわれ車に積んでいた、魔よけの塩と黒豆が握られていました。それを母は私に力いっぱい投げてきました。

「おねえちゃん、ざんねん、でもひとりおともだちみつけたよ」

その声を聞いた直後、自転車は軽くなり、私は膝から崩れ落ちました。

私は、先程あったことを話しました。母は「そうか水子に会ったのか……」と呟くと、母には黒いモヤに見えていたこと、恐らくお友達とは、私の子どものことであると教えられました。

「黒いモヤは、あんたのお腹にまとわりついていた。将来、子ども一人、連れていかれるのは覚悟しなさい」

強い口調でいった母の横顔は、今まで見たことがないくらい強ばっていました。

それから20年程経ちました。**私の第一子は、生まれる前に逝ってしまいました。**第一子にはあの子と仲良くして、もう二度とあの子をこちらへ連れてこないことを、毎日仏壇《ぶつだん》でお願いしています。

たっくー深読み考察

雨の中のお散歩

何度読んでも全身に鳥肌が立つ。

生配信のアンケートでも92%の視聴者が『怖かった』を選択した、過去一番の獲得票を誇《ほこ》る話である。

前半は感動的な展開でありながら、まさにスコールのように後半で恐怖の底へと突き落としてくる。

太刀打ちすることのできない恐ろしい“何か”を感じることができる。

しかしながら、この話に出てくる『孫の霊』は年齢的にも『水子』と呼べる年齢ではないと思われた方も多いのではないだろうか。

水子とは亡くなった胎児《たいじ》や赤子を指すことが殆どであろう。

ただ、地域や考え方によっては、7歳までの子どもを神の子として扱い、水子と呼ぶことがある。投稿者のお母様はこの考えから『水子』と呼んだのではないだろうか。

しかし誤解してほしくないのは、基本的に『霊＝悪』ではないということだ。

人間に『悪人』がいるのと同じように、霊にも『悪霊』が存在しているだけなのである。

多くの霊は生前と同じ意識や考え方を持っているそうで、霊自身が『除霊されている』と認識することで除霊は成功するのだという。

『子どもの霊』というのは強力だと私も聞いたことがある。

ではなぜ子どもの霊は強力なのか？

もうお気づきだろう。

除霊することが難しいからだ。

多くの子どもは除霊というものが何かわからないため『除霊されている』と認識をすることができない。

買ってもらえなかった玩具をいつまでもほしがるように。純朴《じゅんぼく》な心であるが故に、時にその力を止めることができないのだ。

二人目の友達をほしがらないことを私も願っている。

三十二話

憎悪のお手伝い

【ペンネーム：上からタンク】

だいぶ前のことですが、私がデリヘルで働いていた時の話です。初めて会うお客様から、ご自宅へという予約が入り向かうことに。40代くらいの男性に招き入れられた家は、家族向けの広さといった感じで、ご自宅の場合は単身用のことが多かったため『珍しいな』という印象でした。

通常の流れ通り挨拶をし、コースの選択とお支払いを終え、シャワーを浴びたあと、寝室のドアを男性が開けた瞬間、ギョッとしました。**ベッドの脇に体育座りで微動だにしない女性が見えた**のです。男性はまるでそこに誰もいないかのようにベッドへと向かいます。

私に霊感などは全くないし、どう見ても生身の女性。状況がわからずパニックで、寝室に入れないまま「え？　いやあの……」というと、男性は「あー、気にしなくていいから！」と私の手を引き、笑っていいました。つまり、そのまま女性の前で仕事をしろということでしょうか。

店では予約のお客様以外にも人がいた場合、すぐに逃げていいといわれていました。男性が複数いた場合の危険、お客様の家族バレなどの回避が前提でしたが、明らかに様子がおかしいので怖くなり、すぐ帰ろうと決意。

「いいじゃんいいじゃん!」

と笑う男性と、そんな会話中も全く反応を示さない女性にさらに怖くなり「すみません、私には何もできないのでキャンセルでお願いします。キャンセル料もいらないので」といい、身支度をする私に「えー、なんで? こんなの気にしなきゃいいのに」という男性。なぜか終始楽しそうでした。

私の中ではすでにNG確定だったので、返事もせずに返金の準備をしていると「あんた根性ないなぁ、この前の子は堂々と最後までやっていったよ。あれはすごかったなー」と同じ店の女の子の名前をいわれました。

他の子の名前を出して、あの子はやってくれたのに、といろんな要求をされるのは日常茶飯事でしたが事実かもわからない以上聞きたくなかったし、嘘でしょ? という気持ちもありました。しつこく食い下がる男性に嫌悪感しかなく『こっちだって色々決めて金銭のやり取りもしてシャワーまで浴びてるのに……。そういう趣味なら先にいっといてよ! いや先にいったら誰もこないか! え、じゃあ寝室に行くまでの会話は聞かれてたの!?』などと頭がぐちゃぐちゃになりながらその辺の台にお金をガサっと置いてふり返りもせず家を後にしました。

その後、店に事情を話しNGにしてもらい、嫌な気持ちもやっと薄れた数か月後。必要だったお金の目処《めど》が立ったので退店することが決まった頃、携帯に見知らぬ番号から着信が。警察から事情を聞きたいのできてほしいという内容でした。**あの体育座りの女性が、あの男性を殺して捕まった**と。私は会った時のことを話し短時間で帰れましたが、男性が根性あると名前を出していた店の子は何度か指名されていたらしく、事件の直前にも呼ばれていたため、色々聞かれて長くなっていたようです。

事件に少しでも関わってしまったこともそうですが、事情を話したのに個人的NGの対応だけで店の利用はその後もできていたこと、あの状況で仕事をする子がいること、そのことで女性の憎悪を膨らませる手伝いをしてしまっていたのではないかということ。考えるとすべてが怖くなり、まだ少し予定はありましたが、すぐに退店させてもらいました。

仕事の内容もあり、今まで誰にも話すことができませんでしたが、かなりの時間が経ったのと、この形でならと思い今回投稿させていただきました。

警察でもこちらから詳細は聞けなかったので、あの二人がどんな関係だったのか、私には想像もつきませんが、女性が望む形の関係でなかったことは結果を見るに明らかで、何年も経った今も忘れられない出来事です。

たっくー深読み考察

憎悪のお手伝い

今回、最後に紹介したこの話はまさに“表に出せないゾッとする話”である。

人間や社会の闇が垣間見え、自分で募集しておきながら若干引いてしまうほど恐ろしい話である。

事件の当事者や関係者になることはそうあるわけではないし、それを未然に防ぐこともなかなかできないのが現実である。

世の中には理解しがたい考えを持つ人や、それを平気でやってのける人が存在している。

以前、起業家を自称する20歳上の男性と食事に行った帰り、エレベーターが開き先に外に出て、扉が閉まらないように手で押さえた。ご馳走していただいたので当然である。と同時に『ちゃんとしてるな』と思われたい自分もいたのかもしれない。するとその男性が通常の３倍の声量で「扉を押さえる時はこう！」と私の頭をエレベーターの扉に押しつけた。咄嗟の出来事で困惑していたが周りも同じ反応だった。唯一それを笑っていたのはその男性だけだった。

きっと道徳観が皆無なのだろう。

道徳観とは『人々が善悪をわきまえて正しい行為をなすために、守り従わねばならない規範《きはん》の総体』というものである。こういった道徳観が欠落している人は、我々が想像もできない理由でとんでもないことをする。

道徳観を持った人間では予測できない行為。

これもまた十分な“ヒトコワ”ではないだろうか。

最後に、自分に合う人かどうかを見分ける方法を紹介しよう。これは誰がいっていたのかは忘れたのだが、私も今でも実践している。

頭の中に、合うかどうかを知りたい人を思い浮かべ、その人のイメージを数字で表してみてほしい。

もしもイメージした数字が“奇数”であれば合わない、“偶数”であれば大丈夫というものだ。

理由は長くなるので割愛するが、ぜひ実践してみてほしい。

たっくー

あの家の秘密～地～

最後は私自身の体験、上巻で紹介した『あの家の秘密』の真相を探った記録である。

上巻を読んでいない方のために簡単にあらすじを紹介する。

あの家とは福岡にある私の母の実家のことだ。今は亡き『おばぁちゃんの家』なのだが、約20年前はその家に祖母、母の弟夫婦、弟夫婦の子ども二人の計五人が暮らしていた。

当時、遊びに行った私が2階の部屋で過ごしていると、何か不気味なものを感じた。ふり返ると両手で杖をつき大正時代のようなコートを着て、ハットを被った人を目撃する。頭が真っ白になり部屋を出て階段を下りようとすると足首を何かにつかまれ転がり落ちてしまった。

転落した音と泣き叫ぶ私の声に家族が集まってきた。その時、祖母が耳元で囁いた『悪い人たちじゃないけんね』の一言はいまだに鮮明に脳内で再生することができる。

そして上巻では叔父に家の真相を電話で取材した。そこでわかったことは、

・確かにあの家には何かがいた。

・玄関から左の廊下を進んだ先の2階へ上がる階段は『鬼門《きもん》』になっている。
・その家は親戚のおじちゃんに売却し、11年前にリフォームされた。
ということだった。叔父は私に『いつでも案内できるから連絡してね』といい残し、そこで上巻の話を終えた。

そして今回、私は福岡県某所にある〝あの家〟に18年ぶりに帰ってきたのだ……。

●5月19日　16時
かすかに記憶のある待ち合わせ場所の駅で「おーい」という聞き覚えのある声にふり返った。

18年ぶりに会う叔父だ。叔父は記憶よりもスマートになっていて、黒かった髪は白く染まっていた。

再会した私たちはまず食事を済ませた。気づけば泥酔《でいすい》状態である。積もる話が多すぎたせいだ。

「こんな形で再会できるなんてね……本のおかげやね」

ハッと本来の目的を思い出し、私は顔を洗った。

●5月19日　20時

現在の所有者である親戚のおじちゃんのもとへ挨拶に向かった。家に到着し、鍵をもらう。そこで私は初めて知ることになる。あの家には〝今は誰も住んでいない〟ということを。リフォームは施《ほどこ》しているが、居住はしていないというのだ。

「何もないと思うけどなぁ」と首を傾げる親戚のおじちゃん。叔父もそれにつられるように「隣《りん》人《じん》のおばあさんのほうが怖いかもね（笑）」と、そんな冗談をいいながら玄関を開けた。

家の中に入るとリフォームされていたものの、どこか当時の雰囲気を醸《かも》していた。自分たちが遊びにきていた18年前の記憶が鮮明に蘇ってきた。

しかしそこで私はある違和感を覚えた。この家は古い木造建築の2階建てで、玄関を入ると左右に長い廊下が続き、両端に2階へ続く階段がある。リフォームの内容というのが、左の階段を上がった先にある部屋をなくし、1階から吹き抜けにしたというものだった。しかし2階の廊下は残されており、玄関からでも吹き抜けの先に2階の廊下部分が見えるようになっていた。厳密には2階の半分は吹き抜け、左の階段側の半分、つまり以前廊下だった床には、趣味の骨董品《こっとうひん》やプレミアのついた珍しいバイクの模型などが飾ってあったりする。

その2階へ上がる階段へと続く廊下がパーティションで塞がれていたのだ。

パーティションの前には大きな木彫りの女体像が置いてある。

〝入れないようにしてある〟という印象を受けた。

●5月19日　21時30分

一通り案内してもらったあと、親戚のおじちゃんと叔父は帰宅し私とスタッフだけになった。するとある異変に気づいたスタッフが「たっくーさん、これ逆です……」といい玄関の先にある植え込みの縁にあった、2体の小さなシーサーの置物を指差した。

これは諸説ありだが、シーサーとは中国から沖縄に伝わったといわれる獅子《しし》が、沖縄の方言でシーサーとなり、屋根や玄関などに置くことで魔物を祓うといい伝えられているものだ。

オスとメスが存在しており、口が開いているのがオス、閉じているのがメスとされている。その置き方の基本は正面から見て右側にオス、左側にメスであり、これは『オスのシーサーが、開いた口で幸せを呼び込み、メスが呼び込んだ幸せを逃がさない』ということを意味している。

しかしここに置かれたシーサーはその逆だった。逆に置くことで何が起こるのか？　一説によると『メスのシーサーが幸せを跳ね返し、オスのシーサーが幸せを逃がす』といわれて風水的には良くないとされている。『もとに戻せばええやん』と思い、持ち上げようとしたのだが、その

2体のシーサーは完全に固定されていたのだ。

他にも置物がたくさん置いてあったが、固定されているのはシーサーだけであった。

〝絶対に動かすな〟といわんばかりに……非常に不気味である。

その後、家の中に入り、左の廊下の探索を行った。木彫りの女体像をずらした時、あることに気がついた。

木彫りの女体像の頭から胴体にかけて刀で斬り裂いたような亀裂が入っている。

〝怖い〟というフィルターがかかると何もかもが意味ありげに感じてしまう。

木彫りの女体像とパーティションを片づけ、入口を開放した。ここでもおかしなことに気づく。

リフォームされているのにもかかわらず、左の廊下だけは当時のまま何も変わっていなかったのだ。

「なんか……ここだけ変ですね……」スタッフもその異様さに気づく。カメラとライトを持ち、廊下を進んだ。突き当たりには階段が続いている。私たちは無言のまま階段へ進んだ。

変わっていた。あの足を引っ張られた階段は隙間を埋めるように板が貼ってあり、1段ごとの隙間がすべて塞がれていたのだ。

『何もないと思うけどなぁ』親戚のおじちゃんがいった一言に不信感を抱いた。

階段を上がった先も当時の面影はなく倉庫のようになっていた。

●5月20日　1時

この家の階段付近は上巻のあらすじでも書いたように鬼門になっている。

ただし、これまで起きた心霊現象から『この家は霊道《れいどう》が通っているのではないか？』と疑問に思い調べてみた。

霊道の調べ方は様々な方法があるといわれているが、神社、寺、お墓すべてに異なる色の線を引き、交差するポイントの北東から南西に伸びている線上にあるという説を私は採用している。

この家は正確に線を引いてみると霊道に位置する場所ではなかったのだ。若干逸《そ》れる程度ではあるが完全に霊道とはいい難い。

しかし〝この家は必ず出る〟。

今日この場所を訪れたことで幼少期に見た光景が蘇り、私は確信した。

●5月20日　2時30分

我々は1階と2階にカメラを固定し寝床に入った。2階のカメラは吹き抜けから玄関、廊下、居間をすべて見下ろすように設置した。

ここから朝7時までの記録は、後に映像を確認して知ることとなる。

●5月20日　3時40分

2階のカメラは異変を捉えた。玄関を出た先には自動センサーのライトがあり、人が通ると点灯する仕組みなのだが、人影もなくガラス越しにライトが点灯。その後、カメラに近い位置で息遣《いきづか》いのような音が聞こえる。直後、女性の笑い声が響いたかと思うと、先程よりもかなり近い位置、もはやカメラのすぐ後ろで再び息遣いが聞こえる。

●5月20日　3時47分

居間と玄関の対角線上にあるブラインドが大きく揺れる。もちろん窓は開いておらず、その後も同じような揺れは記録されていなかった。直後、先程と同じく誰も通過していないはずの玄関のライトが点灯。すると、人型のシルエットが家の玄関の目の前まで向かってきた。しかし玄関まできたかと思うと、すぐにUターンして戻っていった。

その後も、室内で何か起きるたびにその存在を強調するかのようにライトは点灯していた。

この様子はぜひ、本書の特典動画（160ページに二次元バーコード記載）を確認してほしい。

この現象は、祖母の生前、左の廊下を祖母が通ろうとすると、勝手に電気が点き、消える。そして祖母は「ありがとう」と小さな声で呟く、という不気味な光景に酷似《こくじ》していた。

●5月20日　7時

朝を迎え、私たちは叔父に駅まで送ってもらった。『まだ話したかったなぁ』と名残惜しかったが、お礼をいって別れた。

家に帰ってカメラの映像を確認した私はあることに気づき再び地図を取り出した。そこで私は衝撃の事実を知ることとなる。

ライトが何度も点灯した玄関前のあの場所こそが霊道だったのだ。

これなら、誰もいないのにライトが点灯していたことにも納得がいく。ではなぜ、家の中でこれほどまでに怪奇現象が起きていたのだろうか。私はどうしてもあのシーサーが引っ掛かる。叔父にも母にも確認したところ「いつから置いてあるのかはわからない」ということだった。

あのシーサーは一体誰がオスとメスを逆に置き、接着したのか。霊道であるあの場所に招き入れるかのように設置した、誰かがいるのかもしれない。叔父の一言がふっと頭をよぎる。

『隣人のおばあさんのほうが怖いかもね』

まだまだこの家には〝秘密〟がありそうだ。

おわりに

Conclusion

最後まで読んでくださった皆様へ。どうもありがとうございました。

〝表に出せないゾッとする話〟はいかがだったでしょうか？

今回の投稿では実際の場所や事件名などが記載された、まさに〝表に出せない〟話をたくさんいただきました。その恐ろしさを共有できないのは少しばかり残念ではありますが、いつかオフラインのイベントなどで可能な範囲でお話ししたいと思っています。お楽しみに。


今回、書籍への掲載を決めるための1日目の生配信は、過去最長の6時間30分を記録しました。その間も裏側ではスタッフ一丸となって、カメラや音響を操作してくださり、最後まで配信を続けることができました。改めて今回ご協力くださったスタッフの皆さん、ありがとうございました。

配信を終えた朝方に牛丼を食べに行ったのが昨日のことのように思い出されます。

少々書籍とは離れた内容になってしまいますが、この場を借りて僕の気持ちを表明させていただきます。

ありがたいことに昨年（2022年）、上巻を出版した時よりも、ＹｏｕＴｕｂｅのチャンネル登録者数は増え、動画配信以外の仕事もかなり多くなりました。書籍発売後はＴ－１グランプリという自身初となる主催の大会も開催し、今回の書籍も無事、双葉社さんより出版させていただくことができました。

いつもスタッフの皆さんは、僕にこう声を掛けてくれます。

「たっくーさん、頑張ってください」

その一言で送り出される毎日なのですが、決して僕が一番頑張っているわけではありません。懸命に汗を流し僕を支えてくれているのはすべてに関わるスタッフの皆さんなのです。

ただ僕は〝一番見えるところ〟で頑張っているだけなのです。スタッフの方々が縁の下の力持ちとして、今日も不安定な僕を上へ上へと押し上げてくれます。

改めてここに感謝の気持ちを伝えたいと思います。


最高の何かを作ろうとする時は、少しばかり楽しくない日々が続くものです。

それでも僕が前に進めるのは、普段僕を応援し、今この本を最後まで読んでくださった皆様のおかげなのです。

ふり返る度に多くの人に生かされていると感じます。改めてありがとうございました。

では最後に古代ギリシアの三大悲劇詩人の一人であるエウリピデスの言葉で締めたいと思います。

『遠くにあるものを見すえながらも、近くにあるものを見捨てないように』

今後ともよろしくお願いします。

深夜《しんや》の放送部《ほうそうぶ》 中《ちゅう》

表《おもて》に出《だ》せないゾッとする話《はなし》

2023年9月2日　第1刷発行

著　者　たっくー
発行人　島野浩二

発行所　株式会社 双葉社
〒162-8540　東京都新宿区東五軒町3番28号
☎ 03-5261-4818（営業）
☎ 03-5261-4835（編集）
https://www.futabasha.co.jp/
【双葉社の書籍、コミック、ムックが買えます】

印刷所　中央精版印刷株式会社

乱丁・落丁本は、送料小社負担にてお取り替えいたします。
〈製作部〉宛にお送りください。
ただし、古書店で購入したものについてはお取り替えできません。
☎03-5261-4822（製作部）
定価はカバーに表記してあります。

装幀　鶴田裕樹、岡田聡美（アイル企画）
イラスト　小野たかし
編集・制作　株式会社レア・グルーヴ
校正　谷田和夫
構成　松原孝臣

【Special Thanks】
たっくーTVれいでぃお 怪談投稿者の皆様